GOLDONI

LA LOCANDIERA

RAL

Classiques Hachette

Texte original conforme à l'édition Pasquali de 1762.
Traduction de Danièle Aron.

Notes explicatives, questionnaires, bilans, documents et parcours thématique

établis par

Michel MORISSET,
Professeur agrégé de Lettres modernes.

La présente adaptation de la pièce a été jouée par la Comédie-Française en 1981.

Couverture réalisée avec l'aimable collaboration de la Comédie-Française.
Photographie : Philippe Sohiez.

ISBN : 2.01.019083.1

SOMMAIRE

Les mots signalés (•) sont définis dans les lexiques p. 218.

Portrait de Carlo Goldoni par Pietro Longhi.

Lorsque Goldoni donne La Locandiera•, le 26 décembre 1752, il est âgé de 47 ans et se trouve en pleine possession de ses moyens. Il est sur le point de quitter le théâtre San Angelo, dirigé par Médebac qu'il a rencontré en 1747, pour le théâtre San Luca. Les raisons financières ne sont pas étrangères à ce changement : au théâtre San Luca, comme il n'y a pas de directeur, les comédiens partagent la recette et touchent, de surcroît, des pensions à proportion de leur mérite et de leur ancienneté. Du coup, les ressources de Goldoni vont doubler. Mais, surtout, l'auteur• jouira d'une plus grande liberté : il pourra faire imprimer ses ouvrages comme il l'entend, et ne sera plus dans l'obligation de suivre la troupe dans ses déplacements.

Les démêlés de Goldoni avec ses actrices, tout particulièrement avec Madame Médebac, l'épouse – hystérique – de son directeur, donnent une idée des difficultés que peut rencontrer un auteur• de théâtre à cette époque. Le jour de Noël 1752, elle est debout et bien portante. Mais dès qu'elle apprend qu'on doit jouer le lendemain La Locandiera•, pièce nouvelle faite pour une autre actrice de la troupe, Coraline, la voici saisie de nouvelles convulsions. Le succès rapide de la pièce ne fait qu'aggraver son état, mais pas au point de lui faire perdre pied : après la quatrième représentation, elle retrouve soudain assez d'énergie pour quitter le lit et obtenir qu'on retire La Locandiera• afin de la remplacer par Pamela. « Le directeur », écrit Goldoni dans ses Mémoires, « ne crut pas devoir s'opposer au désir de sa femme ». La pièce connaît donc un succès bref mais brillant, qui la place, selon l'auteur• lui-même, « au-dessus de tout ce qu'[il] avai[t] fait dans le genre ».

LA LOCANDIERA• DANS LA DOUBLE TRADITION DE LA COMÉDIE•.

	Tradition du théâtre populaire	Tradition du théâtre « littéraire »
Antiquité grecque	• Réjouissances accompagnant les cérémonies religieuses et se constituant progressivement en farces, pantomimes, spectacles mythologiques. • Comédies• d'Aristophane (-450, -386) : mélange de réalisme, de bouffonnerie et de merveilleux.	• Comédies• de Ménandre (-342, -292). • Évolution vers le sérieux et le naturel. • Déclin au profit du théâtre populaire.
Antiquité romaine	• Tradition des danses étrusques et des satires qui mêlent danses, pantomimes et plaisanteries. • Succès des atellanes (bouffonneries improvisées) et du mime. • Comédies• de Plaute (-254, -184) (personnages typés et pittoresques).	• Comédies• de Térence (-190, -159). • Règne de la décence, du sérieux et du bon ton• - Finesse dans l'analyse psychologique. • Comme en Grèce, déclin au profit du théâtre populaire.
Moyen Âge	• Renouveau de la tradition des jongleurs et des funambules. • Spectacles d'estrade, joués sur des tréteaux par des troupes itinérantes. (*Le Jeu de la feuillée, Le Jeu de Marion et de Robin*.)	• Faible succès de comédies• imitées de Plaute et de Térence.
XVIe siècle	• En Italie, théâtre populaire en dialecte (Ruzzante). Naissance de la *commedia dell'arte*•, héritière des atellanes. Les troupes se répandent à travers l'Europe (1548 à Lyon). • En France, succès du théâtre de la Foire.	• En Italie, la *commedia sostenuta* reprend la tradition du théâtre écrit : intrigues• vraisemblables, respect des unités de temps et de lieu, pièces jouées dans des salles conçues pour elles (comédies• de l'Arioste, de l'Arétin, de Machiavel). • En France, le théâtre régulier ne parvient pas à s'implanter.
XVIIe siècle	• En Italie, succès de la *commedia dell'arte*• et de l'*opera regia* (pièces à machines : statues articulées, personnages s'élevant dans les airs, animaux...).	• En France, la comédie• se constitue en genre littéraire (Rotrou, Corneille). Molière la porte à son niveau d'excellence en y intégrant le meilleur de la tradition populaire.
XVIIIe siècle	• Survivance et déclin de la *commedia dell'arte*• en Italie. • Polémique entre Goldoni et les tenants de la tradition (Carlo Gozzi, Chiari).	• En France, la comédie• se développe en se diversifiant, et entre en concurrence avec le drame• (Marivaux, Beaumarchais, Diderot). • Les Comédiens Italiens se soumettent bon gré mal gré au nouveau goût du public et jouent du théâtre d'auteur•.

1752 : *La Locandiera*•

La Locandiera• est sans doute la pièce de Goldoni la plus connue du public français, et son succès s'explique vraisemblablement par l'originalité du personnage de Mirandoline.

Selon l'évolution des modes intellectuelles ou idéologiques, le spectateur du XXe siècle peut voir en elle une coquette cruelle et inconsciente ; une femme de tête que les féministes pourraient volontiers choisir comme porte-drapeau ; une calculatrice cynique ; ou tout simplement une femme, sage et astucieuse, forte et fragile à la fois, qui se sert de son charme pour affirmer son indépendance ; tandis que les critiques marxistes feront observer qu'elle épouse un homme de sa classe. Au charme incontestable du personnage, s'ajoute la tonalité propre au théâtre de Goldoni. On ne peut être insensible à cette légèreté qui fait que les défauts ne sont jamais assez graves pour instaurer un climat de tragédie, que tout peut s'arranger, toujours, grâce à la sagesse, à l'indulgence, au rire, mais grâce aussi à l'habileté des plus adroits. Même s'il n'est ni philosophe ni moraliste, même s'il n'a pas le goût du portrait détaillé, Goldoni sait observer le monde et le monde du théâtre. On découvre ici la qualité particulière d'un regard qui, loin de prétendre restituer une vue d'ensemble de l'humanité moyenne, s'attache plutôt à relever des détails apparemment insignifiants : manies, tics de langage, gestes incontrôlés, comédies• improvisées, objets anodins, qui sont en fait les moyens les plus sûrs d'accéder rapidement à l'essentiel d'une réalité individuelle ou sociale. Sa peinture de l'amour nous conduit avec simplicité dans les méandres des stratégies de séduction et au cœur du labyrinthe où se perdent et se confondent sincérité et calcul, spontanéité et comédie•, amour de soi et amour de l'autre, déterminisme social et liberté individuelle.

La Locandiera

LA LOCANDIERA

1752

Comédie en trois actes

de

CARLO GOLDONI

PERSONNAGES

LE CHEVALIER[1] DE RIPAFRATTA
LE MARQUIS[1] DE FORLIPOPOLI
LE COMTE[1] D'ALBAFIORITA
MIRANDOLINE, *aubergiste.*
HORTENSE, *comédienne.*
DÉJANIRE, *comédienne.*
FABRICE, *valet de Mirandoline.*
TONINO, *valet du Chevalier.*
AZIR, *valet du Comte.*

L'action se déroule à Florence, dans l'auberge de Mirandoline.

1. Dans la hiérarchie nobiliaire, le titre de *Marquis* prend rang devant celui de *Comte*. Le titre de *Chevalier* est le moins élevé.

ACTE PREMIER

SCÈNE 1. Le Marquis de Forlipopoli, Le Comte d'Albafiorita

(Une salle d'auberge)

Le Marquis de Forlipopoli. Entre vous et moi il y a une certaine différence.

Le Comte d'Albafiorita. Quand il s'agit de payer, mon argent vaut bien le vôtre.

5 Le Marquis. Mais si l'hôtesse a pour moi des égards particuliers, c'est bien parce qu'ils me sont dus.

Le Comte. Et pourquoi donc ?

Le Marquis. Je suis le Marquis de Forlipopoli.

Le Comte. Et moi le Comte d'Albafiorita.

10 Le Marquis. Comte... oui, parlons-en... vous y avez mis le prix !

Le Comte. Oui, j'ai acheté mon titre quand vous vous avez vendu vos terres.

Le Marquis. Oh, laissons cela. Je suis qui je suis, et on
15 me doit le respect.

Le Comte. Qui vous manque de respect ? C'est vous qui, le prenant de trop haut...

Le Marquis. Je suis dans cette auberge parce que j'aime l'hôtesse. Tout le monde le sait et tout le monde
20 doit respecter une jeune personne qui a su me plaire.

Le Comte. C'est la meilleure ! Vous voudriez m'empêcher d'aimer Mirandoline ? Pourquoi donc croyez-vous que je sois à Florence ? Pourquoi croyez-vous que je sois descendu ici ?

25 Le Marquis. Peu importe, vous n'arriverez à rien.

Le Comte. Moi non, et vous oui ?

Le Marquis. Moi oui, et vous non. Je suis qui je suis. Mirandoline a besoin de ma protection.

LE COMTE. Mirandoline a besoin d'argent, non de pro-
30 tection.

LE MARQUIS. L'argent... l'argent... Ce n'est pas l'argent qui manque.

LE COMTE. Je dépense un sequin[1] par jour, monsieur le Marquis, et je ne cesse de lui faire des cadeaux.

35 LE MARQUIS. Et moi, ce que je fais, je ne le dis pas.

LE COMTE. Vous ne le dites pas, mais on le sait.

LE MARQUIS. On ne sait pas tout.

LE COMTE. Si, monsieur le Marquis, on sait tout. Les serviteurs bavardent : trois petits paoli[2] par jour.

40 LE MARQUIS. À propos de serviteurs, ce serviteur-là, qui s'appelle Fabrice, il ne me plaît guère. Il me semble que notre hôtesse le voit d'un assez bon œil.

LE COMTE. Il se peut qu'elle ait l'intention de l'épouser. Ce ne serait pas une mauvaise chose. Il y a six mois
45 que son père est mort, et une jeune femme seule, à la tête d'une auberge, peut un jour ou l'autre se trouver dans une situation embarrassante. Pour ma part, si elle se marie, je lui ai promis trois cents écus[3].

LE MARQUIS. Si elle se marie, je suis son protecteur et
50 je ferai... je sais bien ce que j'ai à faire.

LE COMTE. Allons, un bon mouvement, monsieur le Marquis : donnons-lui chacun trois cents écus.

LE MARQUIS. Ce que je fais, je le fais en secret, et je ne vais pas m'en vanter partout. Je suis qui je suis. *(Il*
55 *appelle)*. Holà, quelqu'un !

LE COMTE, *à part*. Bah ! Ça n'a plus un sou et ça essaie encore de faire le brave !

---

1. *sequin* : monnaie vénitienne.
2. *paoli* : monnaie romaine et toscane. Un sequin représente à peu près 20 paoli.
3. *écus* : l'écu d'argent valait à Venise 0,44 sequin. Trois cents écus représentent une somme importante (133 fois ce que Le Comte dépense quotidiennement).

SCÈNE 2. Les mêmes, Fabrice

Fabrice, *au Marquis.* Que désirez-vous, monsieur?

Le Marquis. Monsieur? Qui t'a appris les bonnes manières[1] ?

Fabrice. Pardonnez-moi.

5 Le Comte, *à Fabrice.* Dites-moi, Fabrice, comment se porte notre petite patronne?

Fabrice. Elle va bien, Illustrissime.

Le Marquis. Elle est déjà levée?

Fabrice. Oui, Illustrissime.

10 Le Marquis. Imbécile!

Fabrice. Pourquoi donc, Illustrissime?

Le Marquis. Qu'est-ce que c'est que cet illustrissime?

Fabrice. C'est le titre que j'ai donné à monsieur le Comte.

15 Le Marquis. Entre lui et moi, il y a une certaine différence.

Le Comte. Vous entendez, Fabrice?

Fabrice, *à voix basse, au Comte.* Il dit vrai. Il y a une différence. Je m'en aperçois en faisant mes comptes.

20 Le Marquis. Va dire à ta patronne qu'elle vienne me voir : j'ai à lui parler.

Fabrice. Oui, Excellence. Je ne me suis pas trompé, cette fois?

Le Marquis. C'est bon. Il y a trois mois que tu le sais,
25 mais tu n'es qu'un impertinent.

Fabrice. Comme il plaira à votre Excellence.

---

1. *Monsieur? Qui t'a appris les bonnes manières? : Monsieur* ne convient pas au rang du marquis. L'insolence est de tradition chez les valets de comédie*.

LE COMTE. Veux-tu voir la différence qu'il y a entre le Marquis et moi ?

LE MARQUIS. Que voulez-vous dire ?

30 LE COMTE. Tiens. Je te donne un sequin. Arrange-toi pour t'en faire donner un autre.

FABRICE, *au Comte.* Merci, Illustrissime. *(Au Marquis.)* Excellence...

LE MARQUIS. Je ne fais pas comme les fous, moi, je ne 35 jette pas l'argent par les fenêtres. Va-t'en.

FABRICE, *au Comte.* Illustrissime, que le ciel vous bénisse. *(Au Marquis.)* Excellence ! *(À part.)* Fauché ! râpé ! liquidé ! Quand on voyage, ce n'est pas avec des titres qu'on se fait respecter, mais avec des poches 40 pleines !

(Il sort.)

SCÈNE 3. LE MARQUIS, LE COMTE

LE MARQUIS. Vous croyez m'écraser avec toutes vos largesses, mais vous n'arriverez à rien. Mon rang a plus de prix que toute votre fortune.

LE COMTE. Ce qui m'intéresse, ce n'est pas ce qui a du 5 prix, mais ce qu'on peut dépenser.

LE MARQUIS. Dépensez tout ce que vous voudrez. Mirandoline n'a aucune estime pour vous.

LE COMTE. Et avec tous vos quartiers de noblesse[1], vous vous imaginez sans doute qu'elle vous estime ? 10 Non, ce qu'il lui faut, c'est de l'argent.

LE MARQUIS. Quel argent ? Ce qu'il lui faut, c'est quelqu'un qui, le cas échéant, soit capable de la protéger.

LE COMTE. Oui, quelqu'un qui, le cas échéant, soit capable de lui prêter quelques centaines d'écus.

1. *quartiers de noblesse* : degré de descendance noble. Avoir quatre quartiers de noblesse signifie avoir quatre ascendants nobles.

15 LE MARQUIS. Il faut savoir se faire respecter.

LE COMTE. Quand on a de l'argent, on se fait respecter.

LE MARQUIS. Vous ne savez ce que vous dites.

LE COMTE. Je le sais mieux que vous.

Vue de Florence au XVIII*e siècle : le Bargello à droite, la Badia à gauche. Tableau de Giuseppe Zocchi.*

Questions

Compréhension

1. *En quoi la scène 1 est-elle une scène d'exposition• ?*

2. *Esquissez un portrait du Marquis et du Comte. Qu'avez-vous appris à propos de la situation de l'aristocratie à l'époque où se situe l'action ?*

3. *Quelle est la fonction de la scène 2 ?*

4. *Le personnage du domestique vous semble-t-il se situer dans la tradition de la comédie• ?*

5. *Quel est le rôle de l'argent dans les rapports entre les personnages ?*

Écriture

6. *Étudiez le champ lexical de l'argent.*

7. *Observez l'emploi des pronoms personnels (1re et 2e personne, formes toniques et formes atones, emploi de* « on »*). Qu'en concluez-vous ?*

8. *Étudiez le jeu des reprises et des symétries ; efforcez-vous d'en dégager les effets recherchés.*

9. *Relevez dans les répliques de Fabrice et du Comte les expressions qui vous semblent familières.*

10. *Étudiez l'enchaînement des répliques dans la scène 3. Quelles remarques feriez-vous sur la longueur des quatre dernières et sur le rythme de l'échange ?*

Mise en scène

11. *Essayez de décrire les costumes du Marquis et du Comte.*

12. *Imaginez la position des personnages sur la scène, leurs déplacements, leurs gestes.*

13. *Entraînez-vous à dire la réplique (sc. 1) du Comte :* « Allons, un bon mouvement, Monsieur le Marquis, donnons lui chacun trois cents écus » *(l. 51 et 52).*

SCÈNE 4. LES MÊMES, LE CHEVALIER DE RIPAFRATTA

LE CHEVALIER DE RIPAFRATTA, *sortant de sa chambre.* Amis, que signifie tout ce bruit ? Seriez-vous en train de vous quereller ?

LE COMTE. Nous débattions d'un point de la plus haute importance.

5 LE MARQUIS, *avec ironie.* Le Comte dispute avec moi des mérites de la noblesse.

LE COMTE. Je ne nie pas les mérites de la noblesse, je dis simplement que lorsqu'on veut se passer quelques fantaisies, il faut avoir de l'argent.

10 LE CHEVALIER. Vraiment, mon cher Marquis...

LE MARQUIS. C'est bon, parlons d'autre chose.

LE CHEVALIER. Mais comment en êtes-vous venus à cette querelle ?

LE COMTE. Pour un motif parfaitement ridicule.

15 LE MARQUIS. Bravo ! Le Comte voit du ridicule partout.

LE COMTE. Monsieur le Marquis aime notre hôtesse. Moi, je l'aime encore plus que lui. Lui prétend se faire aimer d'elle par égard pour sa noblesse. Moi, j'espère être récompensé un jour des attentions que j'ai pour
20 elle. Qu'en pensez-vous ? Ne trouvez-vous pas ce débat bien ridicule ?

LE MARQUIS. Il faut savoir avec quel zèle je la protège.

LE COMTE. Il la protège, et moi je dépense.

LE CHEVALIER. Ah oui, le débat en vaut la peine, assu-
25 rément ! C'est une femme qui vous émeut, qui vous fait perdre votre sang-froid ? Une femme ? Que ne faut-il pas entendre ! Une femme ! pour moi, il n'y a pas de danger que j'aie jamais à me quereller avec qui que ce soit pour une femme. Je n'ai jamais aimé les femmes, jamais je
30 n'ai eu pour elles la moindre estime, et s'il faut tout vous dire, je suis convaincu que la femme est pour l'homme la pire des calamités.

LE MARQUIS. Il faut pourtant reconnaître que Mirandoline n'est pas une femme ordinaire.

35 LE COMTE. Sur ce point-là, je dois dire que monsieur le Marquis n'a pas tort. Notre petite hôtesse est tout ce qu'il y a d'aimable.

LE MARQUIS. Du moment que je l'aime, moi, vous pouvez être assuré qu'il y a en elle quelque chose de grand.

40 LE CHEVALIER. Franchement, vous me faites rire tous les deux. Que peut-elle bien avoir de si singulier, cette femme, qui ne soit commun à toutes les autres?

LE MARQUIS. Elle a des manières nobles, qui enchaînent les cœurs.

45 LE COMTE. Elle est belle, elle parle bien, elle s'habille avec élégance, elle a du goût.

LE CHEVALIER. Toutes choses qui ne valent pas un clou. Il y a trois jours que je suis ici, et elle ne m'a pas fait la moindre impression.

50 LE COMTE. Regardez-la mieux, vous changerez peut-être d'opinion.

LE CHEVALIER. Allons donc! Je l'ai parfaitement vue. C'est une femme comme toutes les autres.

LE MARQUIS. Elle n'est pas comme toutes les autres.
55 Elle a quelque chose de plus. Moi qui ai fréquenté les plus grandes dames, je n'ai jamais rencontré de femme qui sache comme elle unir la grâce à la décence.

LE COMTE. Ma foi, j'ai l'habitude des femmes. Je connais leurs défauts et leurs faiblesses. Mais avec
60 Mirandoline, en dépit de tous mes soins, de toutes mes dépenses, je n'ai jamais pu obtenir la moindre faveur, pas même de lui toucher le bout des doigts.

LE CHEVALIER. Malice! Pure malice! Pauvres naïfs! Vous y croyez, vous? Avec moi, cela ne marcherait pas.
65 Au diable les femmes, toutes autant qu'elles sont!

LE COMTE. Vous n'avez jamais été amoureux?

LE CHEVALIER. Jamais, et je ne le serai jamais. On a fait des pieds et des mains pour me faire prendre femme, mais j'ai toujours résisté.

70 LE MARQUIS. Mais vous êtes seul de votre maison. Vous ne songez pas à votre succession ?

LE CHEVALIER. J'y ai songé souvent, mais quand je considère que pour avoir des enfants il me faudrait souffrir une femme, l'envie m'en passe tout aussitôt.

75 LE COMTE. Que voulez-vous faire de votre fortune ?

LE CHEVALIER. Jouir de ce que je possède en compagnie de mes amis.

LE MARQUIS. Bravo, Chevalier, bravo. Nous serons des vôtres.

80 LE COMTE. Et aux femmes, vous ne voulez rien donner ?

LE CHEVALIER. Rien du tout. Avec moi, elles n'auront rien à se mettre sous la dent.

LE COMTE. Ah, voici notre hôtesse. Regardez-la : n'est-
85 elle pas adorable ?

LE CHEVALIER. Adorable, en effet ! Parlez-moi plutôt d'un bon chien de chasse !

LE MARQUIS. Méprisez-la si vous voulez, moi je sais rendre justice au mérite.

90 LE CHEVALIER. Je vous la laisse, fût-elle cent fois plus belle que Vénus[1].

1. *Vénus* : déesse de l'amour, dont le pouvoir est représenté comme une force corruptrice et maléfique.

Questions

Compréhension

1. *Quel reproche le Chevalier fait-il aux femmes ? Ce trait de caractère est-il dans la tradition littéraire ? Connaît-on l'origine de la misogynie du Chevalier ?*

2. *Le Marquis et le Comte ont-ils sur les femmes les mêmes opinions ?*

3. *Le Marquis est-il aussi indifférent à l'égard de l'argent qu'il le prétend ? Que révèle la réplique :* « Nous serons des vôtres » *(l. 78) ?*

Écriture

4. *Recherchez une maxime dans les propos du Chevalier. Relevez quelques répliques qui témoignent de son assurance.*

5. *Étudiez les registres de langue dans les répliques suivantes :*
– Le Marquis : « Elle n'est pas comme toutes les autres [...] la décence » *(l. 54 à 57).*
– Le Comte : « Ma foi, j'ai l'habitude des femmes [...] le bout des doigts » *(l. 58 à 62).*
Qu'en concluez-vous ?

Mise en scène

6. *Imaginez la disposition des lieux : où situer la chambre du Chevalier ?*

7. *Travaillez l'enchaînement des scènes 3 et 4. Qu'est-ce qui rend naturelle l'entrée en scène du Chevalier ?*

SCÈNE 5. LES MÊMES, MIRANDOLINE

MIRANDOLINE. Votre servante, messieurs. Lequel de ces messieurs me fait l'honneur de me demander ?

LE MARQUIS. C'est moi qui souhaite vous voir, mais pas ici.

5 MIRANDOLINE. Où donc, Excellence ?

LE MARQUIS. Dans ma chambre.

MIRANDOLINE. Dans votre chambre ? Si vous avez besoin de quelque chose, le valet est à votre disposition.

LE MARQUIS, *au Chevalier, à voix basse.* Que dites-vous
10 de cette belle fierté ?

LE CHEVALIER, *au Marquis, à voix basse.* Vous appelez cela de la fierté ? Pour moi, c'est de la témérité, de l'insolence !

LE COMTE. Chère Mirandoline, je vais vous parler en
15 public, moi, sans que vous ayez à vous déranger pour venir dans ma chambre. Regardez ces pendants d'oreille. Comment les trouvez-vous ?

MIRANDOLINE. Ils sont très beaux.

LE COMTE. Ce sont des diamants, vous savez.

20 MIRANDOLINE. Oh, j'ai bien vu. Je m'y connais en diamants, moi aussi.

LE COMTE. Eh bien, ils sont à vous.

LE CHEVALIER, *au Comte, à voix basse.* Cher ami, c'est comme si vous les jetiez.

25 MIRANDOLINE. Pourquoi voulez-vous me donner ces pendants d'oreille, monsieur le Comte ?

LE MARQUIS. Quel cadeau, vraiment ! Elle en a qui sont deux fois plus beaux.

LE COMTE. Ceux-ci sont montés à la mode. Je vous
30 prie de les recevoir pour l'amour de moi.

LE CHEVALIER, *à part.* Il est complètement fou !

MIRANDOLINE. Non, monsieur, vraiment...

LE COMTE. Si vous ne les prenez pas, vous allez me fâcher.

35 MIRANDOLINE. Je ne sais que dire... Je tiens infiniment à l'amitié de mes clients... Pour ne pas fâcher monsieur le Comte, je vais être obligée de les prendre...

LE CHEVALIER, *à part.* La pendarde !

LE COMTE, *à voix basse, au Chevalier.* Que dites-vous de 40 cette charmante vivacité ?

LE CHEVALIER, *au Comte.* Belle vivacité, en effet ! Elle empoche vos diamants et elle ne vous remercie même pas !

LE MARQUIS. Ah ça, monsieur le Comte, vous pouvez 45 être fier de vous ! Faire des cadeaux à une femme en public, par vanité ! Il n'y a pas de quoi se vanter. Mirandoline, il faut absolument que je vous parle en tête à tête, sans témoins : je suis gentilhomme.

MIRANDOLINE, *à part.* Il est à sec, il n'y a pas de danger 50 qu'il lâche quelque chose ! *(Haut.)* Si ces messieurs n'ont plus besoin de moi, je vais leur demander la permission de me retirer.

LE CHEVALIER, *avec mépris.* Dites-moi, patronne : le linge que vous m'avez donné n'est pas de mon goût. Si 55 vous n'avez rien de mieux à m'offrir, j'irai me fournir ailleurs.

MIRANDOLINE. Vous aurez quelque chose de mieux, monsieur. Il en sera fait selon vos désirs ; mais il me semble que vous pourriez le demander avec un peu plus 60 d'égards.

LE CHEVALIER. Là où je paie de ma poche, je n'ai pas à faire de manières.

LE COMTE, *à Mirandoline.* Ne lui en veuillez pas : c'est l'ennemi juré des femmes.

65 LE CHEVALIER. Oh, son opinion ne m'intéresse pas.

MIRANDOLINE. Les pauvres femmes ! Que vous ont-elles donc fait, monsieur le Chevalier ? Pourquoi être si cruel avec nous ?

LE CHEVALIER. En voilà assez. Ne le prenez pas sur ce 70 ton• de familiarité avec moi, s'il vous plaît. Changez-moi ce linge. J'enverrai mon serviteur le chercher. Amis, je vous salue.

(Il sort.)

SCÈNE 6. MIRANDOLINE, LE MARQUIS, LE COMTE

MIRANDOLINE. Quel sauvage ! Je n'ai jamais vu quelqu'un comme lui !

LE COMTE. Chère Mirandoline, tout le monde n'est pas capable de reconnaître votre mérite.

5 MIRANDOLINE. Franchement, je suis si choquée par sa grossièreté que j'ai bien envie de le renvoyer sur-le-champ.

LE MARQUIS. Oui, et s'il ne veut pas s'en aller, faites appel à moi, je l'obligerai à vider les lieux immédiate-
10 ment. N'hésitez pas à faire usage de ma protection.

LE COMTE. Et pour l'argent que vous pourriez perdre, n'ayez crainte, je prends tout sur moi. *(À voix basse, à Mirandoline.)* Écoutez, renvoyez aussi le Marquis, je paierai tout.

15 MIRANDOLINE. Merci, messieurs, merci. Je pense que je suis capable de dire toute seule à un client que je ne veux pas de lui, et pour ce qui est du manque à gagner, mon auberge est toujours pleine.

SCÈNE 7. LES MÊMES, FABRICE

FABRICE, *au Comte.* Illustrissime, il y a là quelqu'un qui vous demande.

LE COMTE. Sais-tu qui c'est ?

FABRICE. Je crois que c'est un joaillier[1]. *(À voix basse, à*
5 *Mirandoline.)* Mirandoline, soyez raisonnable, vous voyez bien que votre place n'est pas ici.

(Il sort.)

LE COMTE. Ah oui, il doit me montrer un bijou. Mirandoline, je veux que nous complétions cette parure.

MIRANDOLINE. Oh non, monsieur le Comte...

1. *joaillier* : spécialiste du montage des pierres précieuses.

10 LE COMTE. Votre mérite est immense, et l'argent n'est rien pour moi. Je vais voir ce bijou. À bientôt, Mirandoline. Monsieur le Marquis, mes respects.

(Il sort.)

SCÈNE 8. LE MARQUIS, MIRANDOLINE

LE MARQUIS, *à part.* Maudit Comte ! Avec tout son argent, il m'assassine !

MIRANDOLINE. En vérité, monsieur le Comte se donne trop de peine.

5 LE MARQUIS. Ces gens-là ont quatre sous, et ils les dépensent par pure vanité, par gloriole... Je les connais, je sais comme va le monde.

MIRANDOLINE. Moi aussi, je sais comme va le monde.

LE MARQUIS. Ils croient que des femmes comme vous
10 se laissent gagner par des cadeaux.

MIRANDOLINE. Oh, un cadeau n'a jamais fait de mal à personne.

LE MARQUIS. Je croirais vous faire injure si je cherchais à vous obliger par des présents.

15 MIRANDOLINE. Assurément, monsieur le Marquis ne m'a jamais fait la moindre injure.

LE MARQUIS. Et je ne vous en ferai jamais, croyez-le bien.

MIRANDOLINE. Vous m'en voyez tout à fait persuadée.

20 LE MARQUIS. Mais si je peux faire quelque chose pour vous, disposez de moi.

MIRANDOLINE. Il faudrait que je sache ce que peut faire Votre Excellence.

LE MARQUIS. Tout. Mettez-moi à l'épreuve.

25 MIRANDOLINE. Mais comment, s'il vous plaît ?

LE MARQUIS. Corbleu, votre mérite est singulier !

MIRANDOLINE. Votre Excellence est trop bonne.

LE MARQUIS. Ah, je serais tenté de dire une énormité... oui, je serais tenté de maudire mon Excellence !

30 MIRANDOLINE. Pourquoi, monsieur ?

LE MARQUIS. Parfois je souhaiterais être à la place du Comte.

MIRANDOLINE. À cause de son argent, peut-être ?

LE MARQUIS. Eh, je m'en moque bien, de son argent !
35 Si j'étais un comte pour rire, comme lui...

MIRANDOLINE. Que feriez-vous ?

LE MARQUIS. Morbleu ! Je vous épouserais !

(Il sort.)

Le Comte offre des pendants d'oreille à Mirandoline (I, 5). Gravure tirée de Opere teatrali *de Carlo Goldoni, T. 4, Venise, Antonio Zatta, 1789. Paris, B.N.*

Questions

Compréhension

1. *Recherchez les sous-entendus dans la réplique (sc. 5) de Mirandoline :* « Je m'y connais en diamants, moi aussi » *(l. 20 et 21).*

2. *Pourquoi le Chevalier s'adresse-t-il finalement à Mirandoline ? Pourquoi parle-t-il du linge ?*

3. *Appréciez les raisons que Mirandoline expose pour accepter le cadeau du Comte.*

4. *Étudiez l'ironie de Mirandoline dans la scène 8.*
Montrez en quoi le Marquis est ridicule. Est-ce le cas du Comte ?

Écriture

5. *Quel est l'effet produit par le parallélisme de ces répliques (sc. 5) :*
– Le Marquis : « Que dites-vous de cette belle fierté ? » *(l. 9 et 10).*
– Le Comte : « Que dites-vous de cette charmante vivacité ? » *(l. 39 et 40).*

6. *Relevez une expression familière dans le langage de Mirandoline.*

Mise en scène

7. *Entraînez-vous à dire la réplique de Mirandoline (sc. 5) :*
« Je ne sais que dire... Je tiens infiniment à l'amitié de mes clients... Pour ne pas fâcher Monsieur le Comte, je vais être obligée de les prendre » *(l. 35 à 37).*

8. *Essayez de décrire les gestes et le comportement du Chevalier au début de la scène 5.*

9. *Jouez la sortie du Chevalier : dernière réplique et jeux de scène.*

SCÈNE 9. MIRANDOLINE, *seule*.

MIRANDOLINE. Oh, qu'est-ce qu'il vient de dire là? L'excellentissime monsieur le Marquis de la Misère m'épouserait? Toutefois, s'il voulait m'épouser, il y aurait une petite difficulté : c'est que moi, je ne voudrais
5 pas de lui. J'aime le rôti, et le fumet ne me suffit pas. Si j'avais épousé tous ceux qui me l'ont demandé, j'en aurais des maris à ce jour! Tous les voyageurs qui viennent loger ici tombent amoureux de moi, tous me courtisent à qui mieux mieux – sans parler de ceux qui
10 m'offrent immédiatement le mariage! Et ce monsieur le Chevalier, cette espèce d'ours mal léché, ose me traiter si grossièrement! Voilà bien le premier de mes clients qui n'ait pas pris plaisir à ma compagnie. Je ne dis pas que tous doivent tomber amoureux au premier coup
15 d'œil, mais me mépriser ainsi? C'est quelque chose qui me fait bouillir le sang! Il déteste les femmes? Il ne peut pas les voir? Pauvre fou! Il n'a pas encore trouvé celle qui saura y faire. Mais il la trouvera, il la trouvera. Et qui sait s'il ne l'a pas déjà trouvée? Ceux qui me courent
20 après ont tôt fait de m'ennuyer. La noblesse n'est pas faite pour moi. La richesse, je l'estime et je ne l'estime pas. Tout mon plaisir consiste à me voir servie, courtisée, adorée. C'est mon faible et c'est le faible de presque toutes les femmes. Le mariage? Je n'y pense même pas :
25 je n'ai besoin de personne, je vis honnêtement et je jouis de ma liberté. Je suis aimable avec tout le monde mais je ne m'éprends jamais de personne. Je veux me moquer des grimaces de tous ces soupirants ridicules, et je veux user de tout mon art pour vaincre, abattre et mettre en
30 pièces ces cœurs durs et barbares qui sont nos ennemis, nous qui sommes ce que la bonne mère nature a produit de meilleur au monde.

SCÈNE 10. Mirandoline, Fabrice

Fabrice. Eh! patronne!

Mirandoline. Qu'y a-t-il?

Fabrice. Ce voyageur qui loge dans la chambre du milieu, il se plaint du linge qu'on lui a donné. Il dit qu'il
5 est ordinaire et qu'il n'en veut pas.

Mirandoline. Je sais, je sais. Il me l'a dit à moi aussi ; je vais m'en occuper.

Fabrice. Très bien. Sortez-moi donc ce linge, que j'aille le lui porter.

10 Mirandoline. Laissez, laissez, je le lui porterai moi-même.

Fabrice. Vous-même ?

Mirandoline. Oui, moi-même.

Fabrice. Il faut que vous teniez beaucoup à cet
15 homme-là.

Mirandoline. Je tiens à tout le monde. Occupez-vous de ce qui vous regarde.

Fabrice, *à part.* Je le vois bien : nous n'arriverons à rien. Elle me laisse espérer, mais nous n'arriverons à
20 rien.

Mirandoline, *à part.* Pauvre sot! Il a des prétentions. Je ne veux pas le décourager, pour qu'il me serve fidèlement.

Fabrice. Il a toujours été entendu que c'était moi qui
25 m'occupais des clients de passage.

Mirandoline. Avec ces clients vous n'êtes pas assez aimable.

Fabrice. Et vous, vous l'êtes un peu trop.

Mirandoline. Je sais ce que j'ai à faire, je n'ai pas
30 besoin qu'on me fasse la leçon.

Fabrice. Fort bien, fort bien. Cherchez-vous un autre valet.

MIRANDOLINE. Pourquoi, monsieur Fabrice ? Vous êtes dégoûté de moi ?

35 FABRICE. Vous souvenez-vous de ce que nous a dit votre père, à tous les deux, juste avant de mourir ?

MIRANDOLINE. Oui ; quand j'aurai envie de me marier, je me souviendrai de ce qu'il a dit.

FABRICE. Mais moi, j'ai le cuir sensible. Il y a des 40 choses que je supporte mal.

MIRANDOLINE. Mais à la fin, pour qui me prends-tu ? Pour une coquette, pour une écervelée, une folle ? Qu'est-ce que tu t'imagines ? Que veux-tu que je fasse des voyageurs qui ne font que passer ? Si je les traite 45 bien, c'est dans mon intérêt, pour le bon renom de mon auberge. Les cadeaux, je n'en ai pas besoin. Pour ce qui est d'aimer... un seul me suffit, et j'ai ce qu'il me faut. Je sais ce qui me convient, et je sais reconnaître le mérite. Quand je voudrai me marier... je me rappellerai ce qu'a 50 dit mon père, et on n'aura pas à se plaindre de moi... si on m'a servie avec fidélité. Je ne suis pas une ingrate, je sais rendre justice au mérite... Mais moi, je ne suis pas payée de retour... Allez, Fabrice, comprenez-moi, si vous le pouvez.

(Elle sort.)

55 FABRICE. Bien malin qui peut la comprendre. Tantôt on dirait qu'elle veut de moi, et tantôt non. Elle dit bien qu'elle n'est pas une écervelée, mais elle ne veut en faire qu'à sa tête. Je ne sais que penser. Nous verrons bien. Elle me plaît, je tiens à elle et j'accommoderais volon-60 tiers mes affaires avec elle pour le restant de ma vie. Ah, il faudra bien fermer un œil et laisser un peu courir. Finalement les voyageurs ne font que passer. Moi je suis toujours là. La meilleure part sera toujours pour moi.

(Il sort.)

Questions

Compréhension

1. *Quels traits de caractères de Mirandoline apparaissent ici ?*

2. *Sous quel nouveau jour Fabrice se montre-t-il ? Dans quelle mesure vous semble-t-il disposer de son sort ? Sa décision est-elle dictée par l'amour ? par l'intérêt ?*

3. *Quels sentiments Mirandoline éprouve-t-elle pour Fabrice ? Pourquoi lui cache-t-elle la véritable raison de son comportement à l'égard du Chevalier ?*

Écriture

4. *Étudiez le vouvoiement et le tutoiement. Quelles conclusions tirez-vous de vos observations ?*

5. *Les monologues• : en appliquant la remarque de Pierre Larthomas,* Le Langage dramatique, *PUF, p. 372 :* « Le monologue• dramatique a la même valeur que l'analyse romanesque, qui permet de faire connaître un personnage de l'intérieur. », *récrivez le monologue• de la scène 9 de manière à en faire un passage de roman.*

Mise en scène

6. *Quelles sont les fonctions du monologue• de Mirandoline (scène 9) ?*
En quoi constitue-t-il un moment important :
– par rapport aux scènes précédentes ?
– par rapport à celles qui vont suivre ?
En quoi fait-il de Mirandoline le personnage central de la pièce ?

SCÈNE 11. Le Chevalier, Un serviteur

(La chambre du Chevalier.)

Un serviteur. Illustrissime, il y a une lettre pour vous.

Le Chevalier. Va me chercher mon chocolat. *(Le serviteur sort; le Chevalier ouvre la lettre.)* « Sienne[1], le 1er janvier 1753[2]. » Qui m'écrit ? « Horace Taccagni. Mon
5 très cher ami. La tendre amitié qui nous lie me presse de vous faire savoir qu'il est nécessaire que vous reveniez au plus vite dans notre ville. Le Comte Manna vient de mourir... » Le pauvre Comte ! J'en suis navré. « Il laisse un héritage de cent cinquante mille écus à sa fille
10 unique. Tous vos amis voudraient que cette fortune vous échût et s'emploient... » Qu'ils ne se mettent pas en peine pour moi, je ne veux pas en entendre parler. Ils le savent, pourtant, que je ne veux pas m'encombrer d'une femme. Et ce cher ami-là, qui le sait mieux que tout
15 autre, qu'il me laisse en paix une bonne fois pour toutes.

(Il déchire la lettre.)

Qu'ai-je à faire de cent cinquante mille écus ? Tant que je vis seul, je n'ai pas besoin de tant d'argent. Si j'étais marié, il me faudrait plus du double. Me marier, moi ? J'aimerais mieux attraper la fièvre quarte !

SCÈNE 12. Le Chevalier, Le Marquis

Le Marquis. Ami, voyez-vous un inconvénient à ce que je vienne passer un moment avec vous ?

Le Chevalier. Au contraire, c'est un honneur que vous me faites.

5 Le Marquis. Au moins, entre vous et moi, nous pouvons traiter sur un pied d'égalité, mais cet animal de Comte n'est pas digne de notre société.

1. *Sienne* : ville de Toscane.
2. *1753* : c'est l'année de la première représentation de la pièce, à Venise.

LE CHEVALIER. Cher Marquis, excusez-moi. Respectez les autres, si vous voulez qu'on vous respecte.

10 LE MARQUIS. Vous connaissez mon naturel. Je suis courtois avec tout le monde. Mais cet homme-là, je ne peux absolument pas le souffrir.

LE CHEVALIER. Vous ne pouvez pas le souffrir parce qu'il est votre rival en amour ? N'avez-vous pas honte ?
15 Un gentilhomme tel que vous, s'amouracher d'une aubergiste ! Un homme sage, comme vous l'êtes, courir après des jupons !

LE MARQUIS. Mon cher Chevalier, cette femme m'a ensorcelé.

20 LE CHEVALIER. Ensorcelé ! Qu'est-ce que cela signifie, ensorcelé ! Comment se fait-il que les femmes ne m'aient jamais ensorcelé, moi, et qu'elles ne parviendront jamais à le faire ? Leurs pouvoirs magiques, ce n'est rien d'autre que leurs minauderies, leurs cajoleries.
25 Celui qui les tient à distance, comme moi, ne court certainement pas le risque d'être ensorcelé.

LE MARQUIS. Enfin... j'y pense sans y penser. Ce qui me tracasse, ce qui m'inquiète, en revanche, c'est mon intendant[1].

30 LE CHEVALIER. Il vous a joué un tour de sa façon ?

LE MARQUIS. Il m'a manqué de parole.

SCÈNE 13. LES MÊMES

(Le serviteur apportant le chocolat[2].)

LE CHEVALIER. Oh, je suis désolé... *(Au serviteur.)* Va en préparer un autre.

LE SERVITEUR. Pour aujourd'hui il n'en reste plus, Illustrissime.

---

1. *intendant* : personne chargée d'administrer les biens d'un riche particulier.
2. *le chocolat* : au XVIIIe siècle, le chocolat est servi dans les familles aisées.

5 LE CHEVALIER. Il va falloir s'en procurer. *(Au Marquis.)* Si vous voulez bien accepter cette tasse...

LE MARQUIS, *prenant la tasse et se mettant à boire sans cérémonie.* Mon intendant, comme je vous disais...

(Il boit.)

LE CHEVALIER, *à part.* Et moi, je n'aurai plus qu'à m'en passer.

10 LE MARQUIS. Il m'avait promis de m'envoyer par le courrier... *(Il boit.)*... vingt sequins...

(Il boit.)

LE CHEVALIER, *à part.* Et maintenant, gare à l'estocade[1] !

LE MARQUIS. Et il ne me les a pas envoyés...

(Il boit.)

15 LE CHEVALIER. Il les enverra une autre fois.

LE MARQUIS. Le malheur... le malheur... *(Il finit de boire.)* Tenez. *(Il donne la tasse au serviteur.)* Le malheur, c'est que j'ai des engagements et que je ne sais comment faire.

20 LE CHEVALIER. Huit jours de plus ou de moins...

LE MARQUIS. Mais vous qui êtes un gentilhomme, vous savez ce que veut dire tenir sa parole. J'ai des engagements... et, morbleu, je donnerais de la tête contre les murs.

25 LE CHEVALIER. Je suis désolé de vous voir dans cet embarras. *(À part.)* Si je savais comment m'en tirer honorablement !

LE MARQUIS. Cela vous gênerait-il, pour huit jours, de me rendre ce service ?

30 LE CHEVALIER. Mon cher Marquis, si je le pouvais, je le ferais avec plaisir. Si j'avais eu de l'argent, je vous l'aurais déjà proposé. Mais j'en attends et je n'en ai pas pour le moment.

---

1. *l'estocade :* en escrime, grand coup donné avec la pointe de l'épée.

LE MARQUIS. Vous n'allez pas me faire croire que vous
35 êtes sans un sou ?

LE CHEVALIER, *montrant un sequin et différentes pièces de monnaie.* Regardez : c'est là toute ma richesse. Cela ne fait même pas deux sequins.

LE MARQUIS. Mais ça, c'est un sequin en or ?

LE CHEVALIER. Oui, c'est le dernier ; je n'en ai plus.

40 LE MARQUIS. Prêtez-moi celui-là, en attendant je tâcherai...

LE CHEVALIER. Mais, et moi ?

LE MARQUIS. De quoi avez-vous peur ? Je vous le rendrai.

45 LE CHEVALIER. Eh bien, qu'est-ce que vous voulez que je vous dise ? Prenez-le.

(Il lui donne le sequin.)

LE MARQUIS. Ami, je vous suis infiniment obligé... mais une affaire urgente m'appelle ailleurs... nous nous reverrons au moment du repas.

(Il sort.)

SCÈNE 14. LE CHEVALIER, *seul.*

LE CHEVALIER. Bravo ! Monsieur le Marquis voulait m'extorquer vingt sequins, et il a fini par se contenter d'un seul. Tant pis pour ce sequin : au moins, s'il ne me le rend pas, il ne viendra plus m'importuner. Ce qui me
5 chagrine le plus, c'est qu'il m'a bu mon chocolat. Quel sans-gêne ! Et puis tous ses « je suis qui je suis », « je suis gentilhomme » ! Ah oui, il est beau, ce gentilhomme !

Questions

Compréhension

1. *Le rôle du Marquis :*
– *Montrez que son entrée en scène (sc. 11) :* « Vous et moi, nous pouvons traiter sur un pied d'égalité » *(l. 5 et 6) est particulièrement adaptée à son objectif.*
– *Le personnage du noble ruiné vous paraît-il pathétique ? ridicule ? antipathique ? Justifiez votre réponse.*

2. *Étudiez chez le Chevalier le mélange de franchise, d'orgueil et de courtoisie.*

Écriture

3. *Cherchez une réplique qui traduit chez le Marquis l'urgence du besoin d'argent et qui enlève, d'un coup, toute noblesse au personnage.*

4. *Étudiez le champ lexical de l'obligation morale.*

Mise en scène

5. *Observez les apartés• et didascalies• dans la scène 13. Quel contraste les apartés• soulignent-ils ? Pourrait-on les supprimer ? Pourquoi ?*

6. *Préparez la scène du chocolat : disposition des personnages, gestes, directions du regard, expressions du visage, etc. Rédigez sur une fiche les conseils que vous donneriez aux acteurs.*

SCÈNE 15. LE CHEVALIER, MIRANDOLINE *apportant une pile de linge.*

MIRANDOLINE, *sur le pas de la porte, l'air intimidé.* Vous permettez, Illustrissime ?

LE CHEVALIER, *avec brusquerie.* Qu'est-ce que vous voulez ?

5 MIRANDOLINE, *avançant de quelques pas.* Voici du linge de meilleure qualité.

LE CHEVALIER, *montrant la table.* Bien. Posez-le là.

MIRANDOLINE. Ayez la bonté de daigner regarder s'il vous convient.

10 LE CHEVALIER. Qu'est-ce que c'est ?

MIRANDOLINE, *avançant encore un peu.* Les draps sont en toile de Reims.

LE CHEVALIER. En toile de Reims ?

MIRANDOLINE. Oui, monsieur, à trente paoli l'aune[1].
15 Voyez vous-même.

LE CHEVALIER. Je n'en demandais pas tant. Il me suffisait d'avoir quelque chose de mieux que ce que vous m'aviez donné.

MIRANDOLINE. Ce linge, je l'ai fait moi-même, et je le
20 réserve aux gens de mérite, à ceux qui sont vraiment capables de l'apprécier. Et pour vous dire toute la vérité, Illustrissime, je vous le donne parce que c'est vous ; à un autre je ne le donnerais pas.

LE CHEVALIER. « Parce que c'est vous » ! Le compliment
25 d'usage !

MIRANDOLINE. Regardez le linge de table.

LE CHEVALIER. Oh, ces toiles de Flandre[2], quand on les

1. *l'aune* : ancienne mesure de longueur, valant 1,18 m, puis 1,20 m ; elle fut supprimée en 1840.
2. *Flandre* : la Flandre occidentale était déjà réputée pour ses « villes drapantes » (coton, soierie, dentelle).

lave, elles s'abîment beaucoup. Ce n'est pas la peine de salir tout cela pour moi.

30 MIRANDOLINE. Pour un gentilhomme de votre qualité, je ne prends pas garde à ces petites choses. J'ai plusieurs serviettes de ce genre et je les réserverai à Votre Seigneurie.

LE CHEVALIER, *à part.* On ne peut nier qu'elle ne soit 35 obligeante.

MIRANDOLINE, *à part.* Il a bien la mine revêche de quelqu'un qui n'aime pas les femmes.

LE CHEVALIER. Donnez ce linge à mon serviteur, ou posez-le là, n'importe où. Ne vous mettez pas en peine 40 pour cela.

MIRANDOLINE. Oh non, monsieur, c'est un honneur pour moi que de servir un gentilhomme d'un si rare mérite.

LE CHEVALIER. Bien, bien, je n'ai plus besoin de rien. 45 *(À part.)* Elle voudrait me flatter : les femmes sont bien toutes les mêmes !

MIRANDOLINE. Je vais le mettre dans l'alcôve[1].

LE CHEVALIER, *froidement.* Oui, où vous voulez.

MIRANDOLINE, *à part.* Oh, il y a de la résistance. J'ai 50 peur de n'arriver à rien.

(Elle va mettre le linge dans l'alcôve.)

LE CHEVALIER, *à part.* Les naïfs entendent ces beaux discours, ils croient ce qu'on leur raconte, et les voilà pris.

MIRANDOLINE, *revenant sans le linge.* Pour le déjeuner, 55 que désirez-vous ?

LE CHEVALIER. Je mangerai ce qu'il y aura.

MIRANDOLINE. J'aimerais pourtant savoir ce qui vous plaît. Si vous avez une préférence, n'hésitez pas à me le dire.

1. *alcôve* : enfoncement ménagé dans une chambre, pour un ou plusieurs lits, qu'on peut fermer dans la journée.

60 LE CHEVALIER. Si je veux quelque chose, je le dirai au valet.

MIRANDOLINE. Mais pour ces choses-là, les hommes n'ont pas l'attention et la patience d'une femme. Si vous avez envie d'un petit plat, d'une bonne petite sauce,
65 ayez la bonté de me le faire savoir.

LE CHEVALIER. Je vous remercie, mais ce n'est pas non plus par ce moyen que vous ferez de moi ce que vous avez fait du Comte et du Marquis.

MIRANDOLINE. Que dites-vous de la faiblesse de ces
70 deux gentilshommes? Ils viennent à l'auberge pour y loger, et ils se figurent que le cœur de l'hôtesse est à prendre. Nous avons autre chose en tête, nous, que de prêter l'oreille à leurs discours. Nous songeons avant tout à notre intérêt, et si nous leur adressons quelque
75 bonne parole, c'est parce que nous voulons conserver nos clients. Et moi, tout particulièrement, quand je vois qu'ils s'imaginent je ne sais quoi, je ris comme une folle.

LE CHEVALIER. Bravo! Je rends hommage à votre sincérité.

80 MIRANDOLINE. Oh, la sincérité est bien ma seule qualité.

LE CHEVALIER. Pourtant, avec ceux qui vous font la cour, vous devez bien savoir feindre?

MIRANDOLINE. Feindre, moi? Le ciel m'en préserve!
85 Demandez un peu à ces deux messieurs qui jouent aux amoureux transis s'ils ont jamais reçu de moi le moindre gage de tendresse, si j'ai jamais plaisanté avec eux de manière à leur donner quelque raison d'espérer. Je ne les maltraite pas, parce que ce n'est pas mon intérêt,
90 mais tout juste. Ces coureurs de jupons, je ne peux vraiment pas les souffrir; et de la même façon, j'ai horreur des femmes qui courent après les hommes. Vous voyez : je ne suis plus une enfant, je ne suis pas belle, et pourtant j'ai eu des offres de mariage avantageuses;
95 eh bien, je n'ai jamais voulu me marier, parce que je tiens par dessus tout à ma liberté.

LE CHEVALIER. C'est vrai, la liberté est un grand trésor.

MIRANDOLINE. Et on voit tant de gens qui la perdent bêtement.

100 LE CHEVALIER. Je sais ce que je fais, moi. Je ne m'y frotte pas.

MIRANDOLINE. Votre Seigneurie illustrissime est-elle mariée ?

LE CHEVALIER. Le ciel m'en garde. Je ne veux pas de
105 femme.

MIRANDOLINE. Bravo. Ne changez jamais. Les femmes... monsieur... enfin... ce n'est pas à moi d'en dire du mal.

LE CHEVALIER. Vous êtes toutefois la première femme
110 que j'entends parler ainsi.

MIRANDOLINE. Je vais vous dire, monsieur : dans notre métier, on en voit et on en entend de toutes les couleurs ; et à dire la vérité, je comprends qu'il y ait des hommes qui ont peur de notre sexe.

115 LE CHEVALIER, *à part.* Cette femme est singulière.

MIRANDOLINE, *faisant mine de vouloir s'en aller.* Avec la permission de Votre Seigneurie...

LE CHEVALIER. Vous êtes pressée de partir ?

MIRANDOLINE. Je ne voudrais pas vous importuner.

120 LE CHEVALIER. Non, non, vous ne m'ennuyez pas, vous m'amusez.

MIRANDOLINE. Vous voyez, monsieur ? C'est ainsi que je suis avec les autres. Je m'attarde un moment, je suis d'humeur plutôt gaie et je plaisante un peu pour les
125 amuser, et eux, ils se figurent tout de suite... vous me comprenez, n'est-ce pas, et ils se mettent à faire les jolis cœurs.

LE CHEVALIER. C'est sans doute parce que vos manières sont obligeantes.

130 MIRANDOLINE. C'est trop de bonté, Illustrissime.
(Elle fait la révérence.)

LE CHEVALIER. Et ainsi, ils tombent amoureux ?

MIRANDOLINE. Quelle faiblesse, n'est-ce pas ? Tomber aussi vite amoureux d'une femme !

LE CHEVALIER. C'est quelque chose que je n'ai jamais
135 pu comprendre.

MIRANDOLINE. Après, on parlera de force, de virilité...

LE CHEVALIER. Ah, les hommes sont bien faibles, bien misérables !

MIRANDOLINE. Voilà ce qui s'appelle penser en homme
140 véritable. Monsieur le Chevalier, donnez-moi votre main.

LE CHEVALIER. Pourquoi voulez-vous que je vous donne la main ?

MIRANDOLINE. Je vous en prie, faites-moi cette grâce.
145 Regardez : je suis propre.

LE CHEVALIER. Voici ma main.

MIRANDOLINE. C'est bien la première fois de ma vie que j'ai l'honneur de tenir dans la mienne la main d'un homme qui pense vraiment en homme.

150 LE CHEVALIER, *retirant sa main.* Allons, cela suffit.

MIRANDOLINE. Voyez : si j'avais pris par la main un de ces deux galants personnages, il aurait cru aussitôt que je me mourais d'amour pour lui, il en aurait perdu la tête. Vraiment, je ne leur accorderais pas la plus petite faveur
155 pour tout l'or du monde. Ils ne savent pas vivre. Quel bonheur de pouvoir converser en toute simplicité, sans contrainte, sans malice, sans toutes ces fadaises ridicules. Illustrissime, pardonnez mon audace. Si je peux vous servir en quoi que ce soit, commandez-moi libre-
160 ment, et j'aurai pour vous cette attention, ce zèle, que je n'ai jamais eus pour personne au monde.

LE CHEVALIER. Pour quelle raison êtes-vous si prévenue en ma faveur[1] ?

MIRANDOLINE. Parce que, sans parler de votre mérite,
165 de votre condition, je suis sûre au moins avec vous de pouvoir converser librement, sans craindre que vous ne vouliez faire un mauvais usage de mes attentions, et

1. *si prévenue en ma faveur* : être prévenu en faveur de quelqu'un : avoir, *a priori*, une opinion favorable d'une personne.

parce que je sais aussi que vous me traiterez comme une simple servante, sans me tourmenter avec de sottes pré-
170 tentions, avec des simagrées[1] ridicules.

LE CHEVALIER, *à part.* Que peut-elle bien avoir d'extravagant, cette femme que je n'arrive pas à comprendre ?

MIRANDOLINE, *à part.* Le sauvage finira bien par s'ap-
175 privoiser.

LE CHEVALIER. Allons, si vous avez à faire, ne perdez pas votre temps à cause de moi.

MIRANDOLINE. Oui, monsieur, je m'en vais retourner aux choses du ménage : ce sont là toutes mes amours et
180 mon seul divertissement. Si vous désirez quelque chose, je vous enverrai le valet.

LE CHEVALIER. Très bien... Si vous venez vous-même de temps en temps, je vous verrai volontiers.

MIRANDOLINE. À dire la vérité, je ne vais jamais dans
185 les chambres de mes clients, mais pour vous, je ferai une exception.

LE CHEVALIER. Pour moi... Pourquoi ?

MIRANDOLINE. Parce que, Illustrissime, vous me plaisez beaucoup.

190 LE CHEVALIER. Moi ? je vous plais ?

MIRANDOLINE. Oui, parce que vous n'êtes pas un coureur de jupons, parce que vous n'êtes pas de ceux qui tombent bêtement amoureux. *(À part.)* Je veux bien qu'on me coupe la tête s'il n'est pas amoureux de moi
195 avant demain matin.

(Elle sort.)

1. *simagrées* : petites comédies destinées à tromper.

SCÈNE 16. LE CHEVALIER, *seul.*

LE CHEVALIER. Oh, je sais ce que je fais. Les femmes ? Pas question. En voilà une qui pourrait mieux que toute autre me faire tomber dans ses filets. Cette sincérité, cette liberté de langage sont choses peu communes. Elle
5 a un je ne sais quoi d'extraordinaire – mais ce n'est pas pour cela qu'elle réussira à me tourner la tête. S'il ne s'agissait que de se divertir un peu, je pourrais lui donner la préférence, mais pour aimer, pour perdre ma liberté ? Il n'y a pas de danger. Il faut être le dernier des
10 fous pour tomber amoureux d'une femme.

(Il sort.)

Mirandoline (Catherine Hiegel) *apportant du linge au Chevalier* (Jean-Luc Boutté) *dans sa chambre (I, 15). Mise en scène de J. Lassalle, Comédie-Française, avril 1981.*

Questions

Compréhension

1. *Dans la stratégie de Mirandoline, quelle est l'importance de l'incitation à « regarder » les draps, puis le linge de table, et, plus tard, celle de la requête à propos de la main du Chevalier ?*

2. *Montrez que Mirandoline cherche constamment à engager un dialogue. À quels moments réussit-elle ? À quels moments échoue-t-elle ?*

3. *En quoi les propos de Mirandoline sur le Marquis et sur le Comte sont-ils particulièrement habiles ?*

4. *Sur quels sujets Mirandoline et le Chevalier sont-ils d'accord ? Est-ce un hasard ?*

5. *Comment Mirandoline s'y prend-elle pour désarçonner le Chevalier ?*

6. *Mirandoline est-elle sincère ?*

Écriture

7. *Relevez les expressions par lesquelles Mirandoline désigne le Chevalier et celles par lesquelles elle désigne les hommes en général. Qu'en déduisez-vous ?*

8. *Recherchez dans le texte les signes successifs d'un changement chez le Chevalier.*

9. *Cherchez une réplique qui laisse augurer de la victoire de Mirandoline.*

10. *Mirandoline parle de « simagrées ridicules » à propos du comportement de ses prétendants. Cherchez, dans les scènes précédentes une expression de sens voisin, utilisée par le Chevalier. Quelle conclusion tirez-vous de cette ressemblance ?*

Mise en scène

11. *Quelle est la fonction des apartés• ?*

12. *Repérer les grandes étapes de la conquête du Chevalier par Mirandoline. Efforcez-vous de les traduire en imaginant l'évolution du jeu des acteurs : intonations, regards, mouvements sur la scène, etc.*

13. *Expliquez la fonction du monologue• (scène 16).*

SCÈNE 17. HORTENSE, DÉJANIRE, FABRICE

(Une autre chambre dans l'auberge.)

FABRICE. Veuillez vous donner la peine d'entrer, Illustrissimes. Regardez, il y a là une autre chambre. Vous pouvez l'utiliser pour dormir, et vous servir de celle-ci pour manger, pour recevoir, pour faire tout ce qu'il vous
5 plaira.

HORTENSE. Très bien, très bien. Qui êtes-vous, le patron ou le valet ?

FABRICE. Le valet, aux ordres de Votre Seigneurie illustrissime.

10 DÉJANIRE, *à Hortense, en riant sous cape.* Il nous donne de l'illustrissime !

HORTENSE, *à Déjanire.* Il faut entrer dans le jeu. *(À Fabrice.)* S'il vous plaît !

FABRICE. Illustrissime ?

15 HORTENSE. Dites à votre maître de venir, je veux m'entendre avec lui sur les conditions.

FABRICE. Je vais chercher la patronne, elle va venir tout de suite. *(À part.)* Qui diable peuvent être ces deux femmes toutes seules ? À leur allure et à leurs vêtements,
20 on dirait des femmes de condition[1].

(Il sort.)

SCÈNE 18. DÉJANIRE, HORTENSE

DÉJANIRE. Il nous traite d'illustrissimes. Il a dû croire que nous étions des femmes de qualité[2].

HORTENSE. Tant mieux, nous serons mieux traitées.

DÉJANIRE. Mais il faudra payer plus cher.

5 HORTENSE. Oh, pour ce qui est de la note, je ne me

---

1. *femmes de condition* : manière elliptique de dire « de condition élevée ».
2. *femmes de qualité* : appartenant à la noblesse.

laisserai pas faire. Ce n'est pas d'hier que je cours le monde.

DÉJANIRE. J'ai peur que ces titres ne nous causent quelque désagrément.

10 HORTENSE. Chère amie, vous manquez d'audace ! Vous croyez que deux comédiennes qui jouent au théâtre des rôles de comtesse, de marquise et de princesse ne sont pas capables de tenir ces mêmes rôles dans une auberge ?

15 DÉJANIRE. Mais dès que nos camarades seront là, ils cracheront le morceau.

HORTENSE. Pour aujourd'hui, en tout cas, ils ne peuvent arriver à Florence. Pour venir de Pise en coche d'eau[1] il faut au moins trois jours.

20 DÉJANIRE. Venir en coche d'eau ! Si ce n'est pas malheureux !

HORTENSE. Faute de braise[2], mon enfant. C'est déjà bien beau que nous, nous ayons pu venir en calèche[3].

DÉJANIRE. Heureusement qu'il y a eu cette représenta-
25 tion en plus.

HORTENSE. Oui, mais si, moi, je n'étais pas restée à l'entrée, on ne faisait pas un sou.

SCÈNE 19. LES MÊMES, FABRICE

FABRICE. La patronne arrive tout de suite.

HORTENSE. Parfait.

FABRICE. Mesdames, je vous prie de faire appel à moi si vous avez besoin de la moindre chose. J'ai déjà eu l'hon-
5 neur de servir d'autres dames de qualité, et je mettrai

---

1. *coche d'eau* : bateau à fond plat, tiré par des chevaux ; moyen de transport lent mais peu coûteux. La distance représente environ 75 km.
2. *braise* : mot d'argot pour désigner l'argent.
3. *calèche* : voiture à cheval, découverte, à quatre roues.

tout mon zèle à obéir aux ordres de Vos illustrissimes Seigneuries.

HORTENSE. Si les circonstances le requièrent, je ne manquerai pas de faire appel à vos services.

10 DÉJANIRE, *à part.* Hortense est très bonne dans ce genre de rôle.

FABRICE. En attendant, j'ose vous prier, Illustrissimes, d'avoir l'obligeance de me donner vos noms, pour que je les inscrive dans mon registre.

(Il sort un calepin et un encrier.)

15 DÉJANIRE, *à part.* Ah, nous y voilà !

HORTENSE. Nos noms ? Pour quoi faire ?

FABRICE. Nous autres aubergistes, nous sommes obligés de noter le nom, le domicile et la condition de toutes les personnes qui viennent loger chez nous. Si nous ne
20 le faisions pas, malheur à nous.

DÉJANIRE, *à Hortense, à voix basse.* Chère amie, adieu la noblesse.

HORTENSE. Il y en a beaucoup qui doivent donner un faux nom.

25 FABRICE. Quant à cela, nous, nous écrivons ce qu'on nous dit et nous n'allons pas chercher plus loin.

HORTENSE. Écrivez : la baronne Hortense del Poggio, de Palerme.

FABRICE, *à part.* Une Sicilienne ? Elle ne doit pas man-
30 quer de tempérament. *(Il écrit.)* Et vous, Illustrissime ?

DÉJANIRE. Moi, je... *(À part.)* Je ne sais pas quoi dire.

HORTENSE. Allons, Comtesse Déjanire, dites-lui votre nom.

FABRICE, *à Déjanire.* Je vous en prie.

35 DÉJANIRE, *à Fabrice.* Vous n'avez pas entendu ?

FABRICE, *écrivant.* « L'illustrissime Comtesse Déjanire... » Le nom de famille, s'il vous plaît ?

DÉJANIRE, *à Fabrice.* Le nom de famille aussi ?

HORTENSE, *à Fabrice.* Oui, dal Sole, de Rome.

40 FABRICE. C'est tout ce qu'il me faut. Pardonnez-moi de vous avoir importunées. La patronne sera là dans un instant. *(À part.)* Je l'avais bien dit, que c'était des femmes de condition ! J'espère que les affaires marcheront, et qu'il y aura quelques jolis pourboires !

(Il sort.)

45 DÉJANIRE. Madame la Baronne, votre très humble servante.

HORTENSE. Comtesse, je vous fais ma révérence.

(Elles rient l'une de l'autre en se faisant de profondes révérences.)

DÉJANIRE. Par quel fortuné hasard puis-je avoir le bonheur de déposer mes respects à vos pieds ?

50 HORTENSE. De la source de votre cœur ne peuvent jaillir que des torrents de grâce.

SCÈNE 20. LES MÊMES, MIRANDOLINE

DÉJANIRE, *à Hortense, avec affectation.* Madame, vous voulez m'aduler[1].

HORTENSE, *de même.* Comtesse, votre mérite est au-dessus de tout éloge !

5 MIRANDOLINE, *dans le fond de la scène, à part.* Oh, quelles dames cérémonieuses !

DÉJANIRE, *à part.* Qu'est-ce que j'ai envie de rire !

HORTENSE, *à voix basse, à Déjanire.* Chut ! voici la patronne.

10 MIRANDOLINE. Mesdames, permettez-moi de m'incliner devant vous.

HORTENSE. Bonjour, ma fille.

DÉJANIRE, *à Mirandoline.* Madame la patronne, mes respects.

---

1. *aduler* : combler de louanges.

HORTENSE, *faisant signe à Déjanire de mieux marquer les*
15 *distances.* Attention !

MIRANDOLINE, *à Hortense.* Madame, permettez-moi de vous baiser la main.

HORTENSE. Vous êtes gentille, tenez.
(Elle lui donne sa main à baiser. Déjanire rit sous cape.)

MIRANDOLINE. Vous aussi, Illustrissime.

20 DÉJANIRE. Mais non, ce n'est pas la peine.

HORTENSE. Allons, faites plaisir à cette enfant, donnez-lui votre main.

MIRANDOLINE. Je vous en prie.

DÉJANIRE. Tenez.
(Elle lui tend la main, détourne la tête et pouffe de rire.)

25 MIRANDOLINE. Vous riez, Illustrissime ? Mais pourquoi ?

HORTENSE. Cette chère Comtesse ! Elle rit encore de moi. J'ai dit une sottise qui l'a fait rire.

MIRANDOLINE, *à part.* Je parierais que ce ne sont pas des femmes de qualité : elles ne voyageraient pas toutes
30 seules.

HORTENSE, *à Mirandoline.* Pour les conditions, nous nous mettrons d'accord.

MIRANDOLINE. Mais vous êtes seules ? Vous n'avez pas de cavaliers, pas de domestiques ? Vous n'avez per-
35 sonne ?

HORTENSE. Mon mari, le Baron[1]...
(Déjanire éclate de rire.)

MIRANDOLINE, *à Déjanire.* Pourquoi riez-vous, Madame ?

HORTENSE. Oui, pourquoi riez-vous ?

40 DÉJANIRE. C'est votre mari le Baron qui me fait rire.

HORTENSE. C'est vrai, c'est un gentilhomme plein d'esprit : il est toujours d'humeur joyeuse. Il sera bientôt ici avec le Comte Horace, époux de la Comtesse.

---

1. *le Baron* : en italien, « *barone* » signifie aussi « coquin ».

(Déjanire s'efforce de se retenir de rire.)

MIRANDOLINE, *à Déjanire.* Monsieur le Comte vous
45 ferait-il rire, lui aussi ?

HORTENSE. Mais voyons, chère Comtesse, songez un peu à ce que vous êtes !

MIRANDOLINE. Mesdames, une question, de grâce. Nous sommes seules, personne ne peut nous entendre.
50 Tous ces beaux titres, ne serait-ce pas... ?

HORTENSE. Que voudriez-vous dire ? Auriez-vous l'audace de mettre en doute notre qualité ?

MIRANDOLINE. Pardonnez-moi, Illustrissime, ne vous échauffez pas, sinon vous allez faire rire madame la
55 Comtesse.

DÉJANIRE. Allons, à quoi bon ?

HORTENSE, *la menaçant.* Comtesse ! Comtesse !

MIRANDOLINE, *à Déjanire.* Je sais ce que vous vouliez dire, Illustrissime.

60 DÉJANIRE. Si vous le devinez, vous êtes bien fine.

MIRANDOLINE. Vous vouliez dire : à quoi bon faire tant d'embarras pour paraître ce que nous ne sommes pas ? N'est-il pas vrai ?

DÉJANIRE. Mais alors vous nous connaissez ?

65 HORTENSE. Ah, quelle comédienne ! Elle n'est pas capable de tenir un rôle jusqu'au bout !

DÉJANIRE. Hors de scène je ne sais pas feindre.

MIRANDOLINE. Bravo, madame la Baronne ; je suis charmée de votre esprit et de votre talent.

70 HORTENSE. De temps en temps j'aime à me divertir un peu.

MIRANDOLINE. Et moi j'apprécie infiniment les gens d'esprit. Soyez les bienvenues dans ma maison : vous êtes ici chez vous. Mais permettez-moi de vous adresser
75 une prière : si jamais il m'arrivait des personnes de condition, cédez-moi cet appartement ; je vous donnerai en échange deux petites chambres très commodes.

DÉJANIRE. Oui, très volontiers.

HORTENSE. Mais moi, quand je paie, je veux être trai-

80 tée comme une personne de condition. Dans cet appartement j'y suis et j'y reste.

MIRANDOLINE. Allons, madame la Baronne, ne vous fâchez pas... Oh, voici un gentilhomme qui loge ici. Quand il aperçoit des femmes, il accourt aussitôt.

85 HORTENSE. Il est riche ?

MIRANDOLINE. Je ne saurais vous dire.

La troupe italienne. *Tableau de Watteau.*

Questions

Compréhension

1. *En quoi la scène 18 est-elle une scène d'exposition• ? Qu'en concluez-vous à propos de la composition de la pièce ?*

2. *Quelles informations avez-vous recueillies sur la situation matérielle des comédiens ? Quelle préoccupation majeure retrouve-t-on, ici ? Recherchez-en des traces dans les scènes 19 et 20, en particulier.*

3. *Repérez les différences de caractère entre Déjanire et Hortense.*

Écriture

4. *Relevez les formules de politesse et les tournures qui vous semblent appartenir au « beau langage ». Qu'en concluez-vous ?*

Mise en scène

5. *Exercice sur la parodie : entraînez-vous à dire et à jouer les quatre dernières répliques de la scène 19. Tirez-en une définition de la parodie.*

6. *Quelle est la fonction des scènes 19 et 20 ?*

SCÈNE 21. Les mêmes, Le Marquis

Le Marquis. Pardon. Peut-on entrer ?

Hortense. Je vous en prie, monsieur.

Le Marquis. Votre serviteur, mesdames.

Déjanire. Votre très humble servante.

5 Hortense. Mes respects, monsieur.

Le Marquis, *à Mirandoline.* Ces dames viennent d'arriver ?

Mirandoline. Oui, Excellence. Elles m'ont fait l'honneur de descendre chez moi.

10 Hortense, *à part.* Peste ! C'est une Excellence !

Déjanire, *à part.* Hortense va le vouloir pour elle, c'est sûr.

Le Marquis, *à Mirandoline.* Et qui sont ces dames.

Mirandoline. Madame est la Baronne Hortense del
15 Poggio, et madame, la Comtesse Déjanire del Sole.

Le Marquis. Oh, je suis très honoré, mesdames.

Hortense. Et vous, qui êtes-vous, monsieur ?

Le Marquis. Je suis le Marquis de Forlipopoli.

Déjanire, *à part.* L'hôtesse a envie que la comédie
20 continue.

Hortense. Je suis charmée d'avoir l'honneur de faire la connaissance d'un gentilhomme tel que vous.

Le Marquis. Mesdames, si vous avez besoin de quoi que ce soit, disposez de moi. Je suis très heureux que
25 vous soyez venues loger ici. Vous verrez, la patronne est une personne de talent.

Mirandoline. Monsieur le Marquis est plein de bonté. Il m'honore de sa protection.

Le Marquis. Oui, c'est exact : je la protège et je pro-
30 tège tous ceux qui viennent loger chez elle. Si je peux vous être utile en quoi que ce soit, je suis à vos ordres.

Hortense. Si les circonstances le requièrent, je ne manquerai pas de faire appel à votre obligeance.

LE MARQUIS. Vous aussi, madame la Comtesse, vous
35 pouvez disposer de moi librement.

DÉJANIRE. Je m'estimerais la plus heureuse des femmes si j'avais l'honneur d'être comptée au nombre de vos très humbles servantes.

MIRANDOLINE, *à Hortense.* C'est une réplique de
40 théâtre.

HORTENSE, *à Mirandoline.* Son titre de comtesse l'impressionne.

(Le Marquis tire de sa poche un beau mouchoir de soie et fait mine de vouloir s'en essuyer le front.)

MIRANDOLINE. Quel beau mouchoir vous avez là, monsieur le Marquis.

45 LE MARQUIS. Ah, qu'en dites-vous ? Il est beau, n'est-ce pas ? Hein, je suis un homme de goût ?

MIRANDOLINE. Assurément.

LE MARQUIS, *à Hortense.* En avez-vous déjà vu d'aussi beaux ?

50 HORTENSE. Il est magnifique. Je n'ai jamais rien vu de pareil. *(À part.)* S'il me le donnait, je ne dirais pas non.

LE MARQUIS, *à Déjanire.* C'est un mouchoir qui vient de Londres[1].

DÉJANIRE. Il est vraiment beau, il me plaît énormé-
55 ment.

LE MARQUIS. J'ai du goût, n'est-ce pas ?

DÉJANIRE, *à part.* Qu'est-ce qu'il attend pour nous l'offrir ?

LE MARQUIS. J'ai toujours dit que le Comte ne savait
60 pas dépenser. Il jette l'argent par les fenêtres, mais il n'est même pas capable d'acheter une galanterie de bon goût.

MIRANDOLINE. Monsieur le Marquis, lui, s'y connaît : il sait voir, juger, distinguer, apprécier.

1. *C'est un mouchoir qui vient de Londres* : c'est évidemment un signe de distinction.

65 LE MARQUIS, *pliant le mouchoir avec soin.* Il faut bien le plier, pour ne pas l'abîmer. Des choses comme cela, il faut les traiter avec beaucoup de délicatesse. Tenez.
(Il tend le mouchoir à Mirandoline.)

MIRANDOLINE. Vous voulez que je le fasse porter dans votre chambre ?

70 LE MARQUIS. Non, dans la vôtre.

MIRANDOLINE. Dans la mienne... ? Mais pourquoi ?

LE MARQUIS. Parce que... je vous le donne.

MIRANDOLINE. Oh, Excellence, pardonnez-moi...

LE MARQUIS. C'est ainsi ; je vous le donne.

75 MIRANDOLINE. Mais je ne peux accepter...

LE MARQUIS. Vous allez me fâcher.

MIRANDOLINE. Oh, s'il en est ainsi, monsieur le Marquis le sait bien : je ne veux mécontenter personne. Pour que vous ne vous fâchiez pas, je vais le prendre.

80 DÉJANIRE, *à Hortense.* Tiens ! la réplique n'est pas mauvaise !

HORTENSE, *à Déjanire.* Et après, on parlera des comédiennes[1].

LE MARQUIS, *à Hortense.* Alors ? qu'en dites-vous ? Un
85 mouchoir comme celui-là, j'en fais présent à mon hôtesse.

HORTENSE. Vous êtes très généreux, monsieur.

LE MARQUIS. C'est ma nature.

MIRANDOLINE, *à part.* C'est bien la première fois qu'il
90 me fait un cadeau. Je me demande comment il a réussi à se procurer ce mouchoir.

DÉJANIRE. Monsieur le Marquis, on en trouve, de ces mouchoirs, à Florence ? J'aimerais bien avoir le même.

LE MARQUIS. Le même, cela ne sera pas facile, mais on
95 pourra essayer.

1. *Et après, on parlera des comédiennes* : les comédiens ont depuis longtemps mauvaise réputation.

MIRANDOLINE, *à part.* La petite Comtesse commence à s'enhardir !

HORTENSE. Monsieur le Marquis, vous qui connaissez bien cette ville, ayez l'obligeance de m'envoyer un bon
100 bottier, j'ai besoin de souliers.

LE MARQUIS. Oui, je vous enverrai le mien.

MIRANDOLINE, *à part.* Elles y vont de bon cœur, mais elles en seront pour leurs frais.

HORTENSE. Monsieur le Marquis nous fera la grâce de
105 nous tenir un peu compagnie.

DÉJANIRE. Il nous fera le plaisir de déjeuner avec nous.

LE MARQUIS. Oui, très volontiers. *(À Mirandoline.)* Mirandoline, ne soyez pas jalouse. Je suis tout à vous, vous le savez bien.

110 MIRANDOLINE, *au Marquis.* Faites, monsieur, je vous en prie ; je suis heureuse que vous ayez l'occasion de vous distraire un peu.

HORTENSE. Vous serez toute notre compagnie.

DÉJANIRE. Nous ne connaissons personne ici. Nous
115 n'avons que vous.

LE MARQUIS. Mesdames, je me mets de grand cœur à votre service.

SCÈNE 22. LES MÊMES, LE COMTE

LE COMTE. Mirandoline, je vous cherchais.

MIRANDOLINE. J'étais ici avec ces nobles dames.

LE COMTE. De nobles dames ? Mesdames, permettez-moi de m'incliner devant vous.

5 HORTENSE. Votre servante, monsieur. *(À voix basse, à Déjanire.)* Celui-là, c'est un vrai rupin[1] !

1. *rupin* : riche (argot).

DÉJANIRE, *à voix basse, à Hortense.* Mais je ne sais pas comment m'y prendre avec les michés[1], moi.

LE MARQUIS, *à voix basse, à Mirandoline.* Montrez donc 10 au Comte le mouchoir que je vous ai donné.

MIRANDOLINE, *montrant le mouchoir au Comte.* Regardez, monsieur le Comte, le beau cadeau que m'a fait monsieur le Marquis.

LE COMTE. Oh, tous mes compliments, monsieur le 15 Marquis.

LE MARQUIS. Allons, ce n'est rien, rien du tout, une simple bagatelle. Cachez-le, je ne veux pas que vous en parliez. Ce que je fais doit rester secret.

MIRANDOLINE, *à part.* Cela doit rester secret, mais il 20 m'oblige à le dire. Entre l'orgueil et la pauvreté il ne sait plus où donner de la tête.

LE COMTE, *à Mirandoline.* Mirandoline, avec la permission de ces dames, je voudrais vous dire un mot.

HORTENSE. Je vous en prie, monsieur.

25 LE MARQUIS. Vous allez l'abîmer, ce mouchoir, en le gardant dans votre poche.

MIRANDOLINE. Ne craignez rien, je le mettrai dans du coton, pour qu'il ne se froisse pas.

LE COMTE. Regardez ce petit pendentif en diamants. *(Il le montre à Mirandoline.)*

30 MIRANDOLINE. Qu'il est beau !

LE COMTE. Il est assorti aux boucles d'oreilles que je vous ai données.
(Hortense et Déjanire observent la scène et se parlent à voix basse.)

MIRANDOLINE. Certes, il est assorti, mais il est encore plus beau.

35 LE MARQUIS, *à part.* Que la peste étouffe le Comte, son argent, ses diamants et le diable qui l'emporte !

---

1. *michés* : dupes, naïfs (argot).

LE COMTE. Eh bien, pour que vous ayez la parure complète, je vous fais présent de ce bijou.

MIRANDOLINE. Monsieur le Comte, je ne peux accep-
40 ter.

LE COMTE. Vous n'allez pas me faire cette injure.

MIRANDOLINE. Une injure ? Oh non, ce n'est pas dans mon caractère. Pour ne pas fâcher monsieur le Comte, je vais le prendre.

(Hortense et Déjanire continuent à chuchoter entre elles en admirant la générosité du Comte.)

45 MIRANDOLINE. Eh bien, qu'en dites-vous, monsieur le Marquis ? Ce bijou n'est-il pas galant[1] ?

LE MARQUIS. Dans son genre, le mouchoir est de meilleur goût.

LE COMTE. Oui, mais de genre à genre il y a une belle
50 différence.

LE MARQUIS. C'est du joli : se vanter en public d'une grosse dépense !

LE COMTE. Oui, oui, vous, on sait que vous faites vos cadeaux en secret !

55 MIRANDOLINE, *à part.* C'est comme dans la fable : ils se disputent et c'est le troisième larron qui en profite !

LE MARQUIS. Ainsi, mes chères amies, je serai des vôtres à déjeuner.

HORTENSE, *au Comte.* Qui êtes-vous, monsieur ?

60 LE COMTE. Je suis le Comte d'Albafiorita, pour vous servir.

DÉJANIRE, *se rapprochant elle aussi.* Oh, mais c'est une famille illustre, je la connais.

LE COMTE, *à Déjanire.* Je suis à vos ordres, madame.

65 HORTENSE, *au Comte.* Vous logez ici ?

LE COMTE. Oui, madame.

DÉJANIRE, *au Comte.* Et vous allez rester longtemps ?

1. *galant* : gracieux, distingué.

LE COMTE. Je pense que oui.

LE MARQUIS. Mesdames, vous devez être lasses de res-
70 ter debout. Voulez-vous que je vous donne le bras jusqu'à votre chambre ?

HORTENSE, *avec mépris.* Très obligée. *(Au Comte.)* D'où êtes-vous, monsieur le Comte ?

LE COMTE. De Naples[1].

75 HORTENSE. Mais nous sommes à demi compatriotes ! Moi je suis de Palerme[1].

DÉJANIRE. Et moi de Rome ; mais je suis allée à Naples et je souhaitais justement m'entretenir avec un gentilhomme napolitain au sujet d'une affaire que j'ai.

80 LE COMTE. Je suis à votre entière disposition, mesdames. Mais vous êtes seules ? Il n'y a pas d'hommes avec vous ?

LE MARQUIS. Je suis là, monsieur, et elles n'ont pas besoin de vous.

85 HORTENSE. Nous sommes seules, monsieur le Comte, et nous vous expliquerons pourquoi.

LE COMTE. Mirandoline !

MIRANDOLINE. Monsieur ?

LE COMTE. Faites préparer un repas pour trois per-
90 sonnes dans ma chambre. *(À Hortense et à Déjanire.)* Me ferez-vous l'honneur d'accepter de déjeuner avec moi ?

HORTENSE. Nous ne saurions refuser une offre aussi aimable.

LE MARQUIS. Mais ces dames m'avaient invité, moi !

95 LE COMTE. Elles sont libres de choisir, mais à ma petite table on ne peut tenir plus de trois.

LE MARQUIS. Je voudrais bien voir ça...

HORTENSE. Venez, venez, monsieur le Comte. Mon

1. *Naples* et *Palerme* : le royaume de Naples s'est appelé le royaume des Deux-Siciles.

sieur le Marquis nous honorera de sa compagnie une
100 autre fois.

(Elle sort.)

DÉJANIRE. Monsieur le Marquis, si vous trouvez ce mouchoir, pensez à moi.

(Elle sort.)

LE MARQUIS. Comte, Comte, vous me le paierez.

LE COMTE. De quoi vous plaignez-vous ?

105 LE MARQUIS. Je suis qui je suis, et on n'agit pas ainsi... Quoi ? Cette femme voudrait un mouchoir, un mouchoir de cette sorte ? Qu'elle n'y compte pas. Mirandoline, prenez-en soin. Des mouchoirs comme celui-là, on n'en trouve pas. Des diamants, on en trouve tant qu'on veut,
110 mais des mouchoirs comme celui-là, c'est impossible, on n'en trouve pas.

(Il sort.)

MIRANDOLINE, *à part.* Ah, le beau fou que voilà !

LE COMTE. Chère Mirandoline, vous ne m'en voudrez pas, je l'espère, si je m'occupe de ces deux dames ?

115 MIRANDOLINE. Pas du tout, monsieur.

LE COMTE. C'est pour vous que je le fais, pour accroître vos bénéfices et pour la bonne renommée de votre auberge ; au surplus je suis tout à vous, mon cœur et mes richesses vous appartiennent et il ne tient qu'à
120 vous d'en disposer librement.

(Il sort.)

SCÈNE 23. MIRANDOLINE, *seule.*

MIRANDOLINE. Avec toutes ses richesses, avec tous ses présents, il n'arrivera jamais à se faire aimer de moi. Et ce n'est pas non plus le Marquis qui réussira, avec sa ridicule prétention. Si je devais choisir entre les deux je
5 prendrais certainement celui qui dépense le plus. Mais je ne me soucie ni de l'un ni de l'autre. J'ai décidé de faire la conquête du Chevalier de Ripafratta, et je n'échangerais pas un tel plaisir contre un bijou, fût-il

deux fois plus beau que celui-ci. Je vais faire de mon
10 mieux. Je ne sais pas si j'aurai autant de talent et d'habileté que nos deux comédiennes, mais je ferai de mon mieux. Pendant qu'ils s'occupent d'elles, le Comte et le Marquis vont me laisser en paix, et je pourrai tout à loisir me consacrer au Chevalier. Est-il pensable qu'il ne
15 cède pas ? Quel est l'homme capable de résister à une femme, quand il lui laisse le temps d'user de tout son art ? Celui qui fuit au premier instant n'a pas à redouter la défaite, mais celui qui s'arrête, qui écoute, qui tend une oreille complaisante aux propos qu'on lui tient doit
20 se résoudre tôt ou tard à rendre les armes.

(Elle sort.)

Mirandoline tenant le mouchoir offert par le Marquis, Déjanire et Hortense (I, 21). Mise en scène de J. Lassalle, Comédie-Française, avril 1981 ; avec J. Sereys, C. Hiégel, B. Agenin et D. Constanza.

Questions

Compréhension

1. *Recherchez tout ce qui, dans les répliques et les jeux de scène de la scène 21, tend à nous proposer l'ébauche d'un « théâtre dans le théâtre ». Que pensez-vous du « propos » qu'inspire à Déjanire le fait que Mirandoline accepte le mouchoir du Marquis ? Dans cette même scène, la réplique de Déjanire (l. 80) peut être rapprochée d'une réflexion de Mirandoline ; laquelle ?*

2. *À quels moments de la pièce la scène du mouchoir fait-elle penser ? Qu'en concluez-vous ?*

3. *Quelle est la fonction de Mirandoline dans la scène 21 ?*

4. *Quelle image des rapports hommes-femmes peut-on retenir de la scène 21 ?*

5. *Comment le thème du théâtre se conjugue-t-il avec celui de la séduction amoureuse ?*

Écriture

6. *Étudiez le procédé de répétition dans les scènes du cadeau à Mirandoline.*

7. *Le Chevalier raconte la scène du mouchoir et du diamant :*
– dans un monologue•,
– dans une lettre envoyée à son ami Horace Taccagni.
Rédigez ces textes.

8. *Écrivez en quelques lignes les dialogues que tiennent à voix basse Hortense et Déjanire dans la scène 22 (cf. la didascalie entre l. 32 et l. 33).*

9. *Scène 23 : étudiez le champ lexical de la guerre. Recherchez une phrase dans laquelle Mirandoline expose le principe dont elle s'inspire pour faire la conquête du Chevalier. Celui-ci connaissait-il cette règle ?*

Mise en scène

10. *Comment Goldoni s'est-il efforcé d'intégrer les personnages des comédiennes à son intrigue• ? Y est-il parvenu ?*

11. *Quel parallélisme peut-on observer entre les scènes 21 et 22 ?*

12. *Quels jeux de scène indiqueriez-vous à l'acteur jouant le rôle du Marquis (sc. 22), à partir de* « Ainsi, mes chères amies... » *(l. 57 et 58) jusqu'à :* « Mesdames, vous devez êtres lasses de rester debout... » *(l. 69 et 70), à la scène 22.*

13. *Justifiez la place du monologue• de Mirandoline (scène 23). Comparez avec les monologues• précédents.*

Bilan

L'action

• Ce que nous savons

Goldoni met successivement en place les différents rouages du mécanisme dramatique, en faisant jouer un système d'oppositions, dont certaines ont pour fonction d'enclencher et d'entretenir le mouvement même de l'action. Ainsi, le Comte et le Marquis sont l'un et l'autre amoureux de leur hôtesse, mais celle-ci ne répond pas à leurs avances et aurait même l'intention d'épouser son domestique. Les deux soupirants ouvrent la pièce par une dispute sur leurs chances respectives de parvenir à leurs fins, l'un se prévalant de son titre, l'autre de son argent. Mais ce n'est pas vraiment sur ces tensions – qui ont plutôt pour fonction de lancer la satire sociale et de produire des effets comiques• – que repose le mécanisme de l'action ; celui-ci amorce son mouvement avec l'entrée en scène du Chevalier, dont l'opinion sur les femmes, et sur Mirandoline en particulier, est diamétralement opposée à celle des deux rivaux. Les éléments de l'intrigue• étant ainsi disposés, l'apparition de l'hôtesse constitue l'événement qui permet à l'action de se nouer. Habituée à être courtisée, la jeune femme est choquée par la grossièreté du Chevalier et prend la décision de le séduire. La première attaque se déroule tout au long de la scène 15, mais elle ne saurait être décisive ; bien qu'ébranlé dans ses convictions, le Chevalier résiste ; quant à Mirandoline, elle est persuadée que la journée du lendemain consacrera son triomphe. Une action secondaire commence alors à se développer, dont le rapport avec l'action principale paraît si peu évident que certaines troupes n'ont pas hésité à la supprimer. Si ténu soit-il, ce lien est pourtant bien réel, mais il est d'ordre thématique et non pas dramaturgique. En fait, cette action parallèle est comme un reflet, voire une caricature de la première, en tout cas une variation sur la place de la comédie• dans la conquête amoureuse, elle donne à la composition de la pièce une allure plus musicale que purement dramatique.

De la scène 9 à la scène 15, puis de la scène 15 à la scène 23, intervalle où se glisse l'intrigue• secondaire, l'action n'a donc pas vraiment progressé. L'on a vu deux comédiennes entreprendre la conquête du Marquis, puis celle du Comte, en utilisant des armes qui, pour être plus grossières, sont de même nature que celles dont use Mirandoline. Et n'est-ce pas par goût du jeu, poussée par un plaisir d'essence théâtrale que Mirandoline elle-même incite les deux comédiennes – non sans avoir, en experte qu'elle est, percé leur secret – à poursuivre leur numéro d'improvisation pour en apprécier la qualité, reconnaissant au passage « une réplique de théâtre », *compliment que lui retournent ses deux complices quelques instants plus tard, lorsque l'hôtesse, après les minauderies d'usage, se résigne enfin à accepter le cadeau du Marquis? Metteur en scène et comédienne elle-même en compagnie des gens de théâtre, Mirandoline exerce les mêmes talents aux dépens du Chevalier, si bien que le glissement d'une action à l'autre se fait insensiblement.*

• **À quoi nous attendre?**
La reprise du duel entre Mirandoline et le Chevalier ne saurait tarder. Qui va l'emporter? Quel sera le rôle des personnages secondaires?

Les personnages

Goldoni joue sur la diversité des classes sociales et la schématisation des individus. L'aristocratie est représentée par le Marquis de Forlipopoli, le Comte d'Albafiorita et le Chevalier de Ripafratta.
• **Le Marquis :** *représentant de la vieille noblesse ruinée, il ne peut offrir à Mirandoline que sa protection. Une morgue inébranlable, des tics de langage, une vanité bouffonne, un attachement maniaque aux égards dûs à son rang, une rare obstination dans le manque de lucidité font de lui la cible idéale des lazzis (plaisanteries bouffonnes). C'est à ce malheureux qu'échoit, de surcroît, le rôle ingrat de gêneur et de pique-assiette.*
• **Le Comte :** *il est l'incarnation de la nouvelle aristocratie. Chez lui, une noblesse de fraîche date dissimule mal les grossiers vestiges de la roture, que révèle un sentiment de puissance et d'impunité procuré par la possession d'une fortune considérable. Sa trajectoire ascendante croise celle du Marquis, qu'il écrase de son mépris. Unis dans une même arrogance, séparés par l'histoire, ce naïf et ce cynique, bien qu'il occupent souvent la scène, n'ont pas vraiment d'incidence sur le déroulement de l'action : ils font rire, mais ils n'ont pas de prise sur les événements. Il n'en va évidemment pas de même du Chevalier, que sa rusticité rendrait sympathique si sa misogynie ne prenait un caractère quasi obsessionnel, et que ses rodomontades exposent dangereusement à l'habileté diabolique de Mirandoline.*
• **Mirandoline :** *elle apparaît à la scène 5, où l'on se délecte à la voir accepter, sans trop barguigner, un cadeau somptueux du Comte; mais c'est dans le monologue• de la scène 9 que se manifestent les grands traits de son caractère : une lucidité à toute épreuve, une indépendance farouchement affirmée, une vanité que semble canaliser un féminisme combatif, une totale maîtrise de soi et de sa vie qui lui permet de jouer la comédie• avec la*

sûreté d'une professionnelle. Est-elle sensible ? capable d'un élan du cœur sincère ? On l'ignore.

• **Déjanire et Hortense :** *elles ne sont que des caractères simplement esquissés. Tour à tour pitoyables et détestables, elles s'expriment toutes les deux dans l'argot des comédiens et se différencient par l'expérience et la maîtrise de soi, plus grande chez Hortense que chez Déjanire, en qui le mélange d'audace, de maladresse et de timidité constitue un trait assez original.*

L'écriture

• **Le ton• :** *c'est celui de la comédie• légère. Le comique• domine et se maintient tout au long de l'acte, mais il évolue par des nuances successives. Ses sources sont diverses (satire de l'aristocratie, des femmes, de la misogynie, des comédiens) ainsi que les procédés (querelles, renversement de situation, caricature, raillerie, ironie...). Le ton• des monologues• de Mirandoline est tout différent : révolte, colère, désir de vengeance, calcul.*

• **Les formes :** *les répliques brèves correspondent à des périodes de mouvement, voire d'agitation, qui alternent avec des pauses, au cours desquelles le personnage fait le point sur sa situation et décide ce qu'il doit faire. Cette dualité dans l'écriture traduit deux aspects de la vie : la vie sociale, avec les querelles, les jeux de masques•, la séduction, la vanité, la rivalité, et la vie individuelle, dévoilée pour le seul public, dans laquelle le personnage tente de paraître (le Chevalier) ou de dissimuler (Mirandoline) ce qu'il est.*

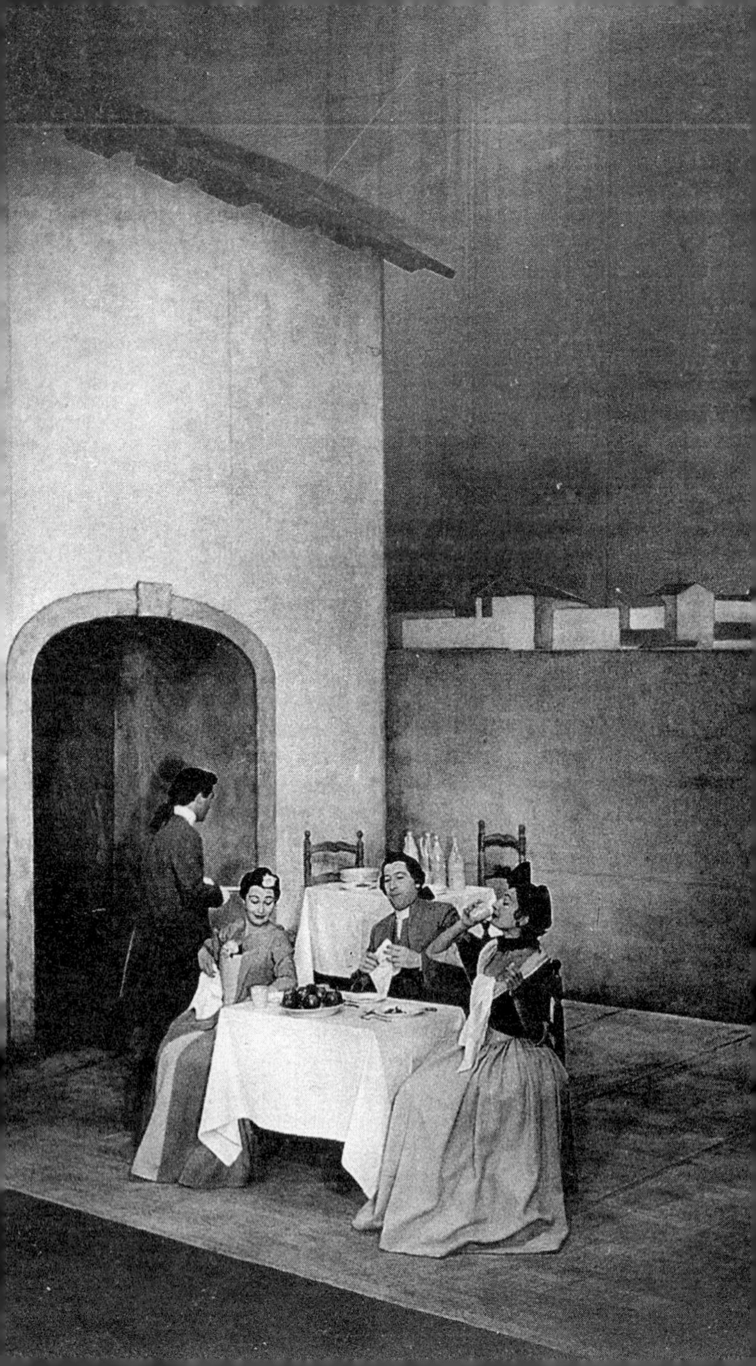

ACTE II

SCÈNE 1. Le Chevalier, Son serviteur, *puis* Fabrice

(La chambre du Chevalier. Une table dressée pour le repas et des chaises.)
(Le Chevalier marche de long en large, un livre à la main. Fabrice entre et pose un plat sur la table.)

Fabrice, *au serviteur.* Dites à votre maître que s'il veut se mettre à table, le déjeuner est servi.

Le serviteur. Pourquoi ne le lui dites-vous pas vous-même ?

5 Fabrice. Il est tellement bizarre que je n'aime pas avoir affaire à lui.

Le serviteur. Et pourtant il n'est pas méchant. Il ne peut pas voir les femmes, mais par ailleurs il a très bon caractère.

10 Fabrice, *à part.* Il ne peut pas voir les femmes ! Pauvre sot ! Il ne sait pas ce qui est bon.

(Il sort.)

Le serviteur. Illustrissime, si vous voulez bien passer à table, le déjeuner est servi.

(Le Chevalier pose son livre et se met à table.)

Le Chevalier, *au serviteur, en mangeant.* Aujourd'hui il
15 me semble que l'on mange plus tôt que d'habitude.

(Le serviteur se tient derrière la chaise du Chevalier, une assiette sous le bras.)

Le serviteur. Votre chambre a été servie avant toutes les autres. Monsieur le Comte d'Albafiorita a eu beau crier et tempêter qu'il voulait manger tout de suite, la patronne a tenu à ce qu'on vous serve en premier.

20 Le Chevalier. Elle est pleine d'attentions.

Le serviteur. C'est une femme parfaite, Illustrissime.

Dans tous mes voyages, je n'ai jamais rencontré d'hôtesse aussi aimable.

LE CHEVALIER, *se retournant pour le regarder.* Elle te
25 plaît, hein ?

LE SERVITEUR. Si je ne craignais pas de faire tort à mon maître, je voudrais venir m'engager comme valet chez Mirandoline.

LE CHEVALIER. Pauvre sot ! Que voudrais-tu qu'elle
30 fasse de toi ?

(Il lui tend son assiette, et le serviteur lui en donne une autre.)

LE SERVITEUR. Une femme comme elle, je la servirais comme un petit chien.

(Il va chercher le plat suivant.)

LE CHEVALIER. Ma foi, cette femme séduit tout le monde ! Ce qui serait plaisant, c'est qu'elle arrive à me
35 séduire aussi. Allons, demain je pars pour Livourne[1]. Qu'elle fasse ce qu'elle peut aujourd'hui, si elle veut, mais qu'elle voie que je ne suis pas si faible. Il m'en faudrait plus pour me faire surmonter l'aversion que j'ai pour les femmes.

SCÈNE 2. LE CHEVALIER, LE SERVITEUR

(Le serviteur, apportant la viande et un autre plat.)

LE SERVITEUR. La patronne dit que si vous n'aimez pas la poularde[2], elle vous donnera du pigeon[3].

LE CHEVALIER. J'aime tout. Et ça, qu'est-ce que c'est ?

LE SERVITEUR. La patronne, elle veut que j'aille lui dire

1. *Livourne* : ville de Toscane, située à une centaine de kilomètres de Florence.
2. *poularde* : jeune poule engraissée. C'est un plat de qualité.
3. *pigeon* : faut-il y voir un jeu de mots ?

5 comment Votre Seigneurie trouve cette sauce, car elle l'a faite de ses propres mains.

LE CHEVALIER. Décidément, elle me comble de prévenances. *(Il goûte la sauce.)* Délicieux. Dis-lui que je trouve cela très bon et que je la remercie.

10 LE SERVITEUR. Je le lui dirai, Illustrissime.

LE CHEVALIER. Va le lui dire tout de suite.

LE SERVITEUR. Tout de suite. *(À part.)* Quel événement ! Il envoie un compliment à une femme !

(Il sort.)

LE CHEVALIER. C'est une sauce exquise. Je n'en ai 15 jamais goûté d'aussi bonne. *(Il mange.)* Décidément, si Mirandoline fait toujours de même, elle ne manquera jamais de clients : une bonne table, du linge de qualité... et puis on ne peut nier qu'elle ne soit de commerce agréable. Mais ce que j'apprécie le plus chez elle, c'est 20 sa franchise. La sincérité est vraiment une qualité rare. Pourquoi est-ce que je ne peux pas voir les femmes ? Parce qu'elles sont fourbes, menteuses, hypocrites... mais cette sincérité...

SCÈNE 3. LE SERVITEUR, LE CHEVALIER

LE SERVITEUR. Elle remercie Votre Seigneurie illustrissime pour la bonté dont elle daigne faire preuve à son égard.

LE CHEVALIER. Compliments, monsieur le maître de 5 cérémonie, compliments.

LE SERVITEUR. Et maintenant elle est en train de préparer pour vous un autre plat, mais je ne sais pas ce que c'est.

LE CHEVALIER. Pour moi ?

10 LE SERVITEUR. Oui, monsieur, pour vous.

LE CHEVALIER. Donne-moi à boire.

LE SERVITEUR. Tout de suite, monsieur.

(Il va chercher à boire.)

LE CHEVALIER. Allons, il va falloir se montrer généreux. Cette femme est trop prévenante ; il faudra payer
15 largement. La traiter comme il faut, mais s'en aller au plus vite.

(Le serviteur lui sert à boire.)

LE CHEVALIER, *buvant.* Le Comte déjeune, lui aussi ?

LE SERVITEUR. Oui, Illustrissime ; aujourd'hui il reçoit : il a deux dames à sa table.

20 LE CHEVALIER. Deux dames ? Qui sont-elles ?

LE SERVITEUR. Elles viennent d'arriver. Je ne sais pas qui elles sont.

LE CHEVALIER. Le Comte les connaissait ?

LE SERVITEUR. Je crois que non ; mais dès qu'il les a
25 vues, il les a invitées à déjeuner avec lui.

LE CHEVALIER. Quelle faiblesse ! Il aperçoit deux femmes, et il se met en frais aussitôt. Et elles acceptent. Et Dieu sait qui elles sont ; mais n'importe : ce sont des femmes, et cela suffit. Le Comte se ruinera certaine-
30 ment. Dis-moi : et le Marquis ? Il est à table ?

LE SERVITEUR. Il est sorti et il n'est pas encore rentré.

LE CHEVALIER. La suite.

(Il fait changer son assiette.)

LE SERVITEUR. Tout de suite, monsieur.

LE CHEVALIER. À table avec deux dames ! Charmante
35 compagnie ! À sa place, moi, leurs grimaces me couperaient l'appétit.

SCÈNE 4. LES MÊMES, MIRANDOLINE *portant un plat.*

MIRANDOLINE. Vous permettez, monsieur ?

LE CHEVALIER. *(Il appelle son serviteur.)* Holà !

LE SERVITEUR. Monsieur ?

LE CHEVALIER. Va prendre ce plat, dépêche-toi.

5 MIRANDOLINE. Pardonnez-moi. Permettez que j'aie

l'honneur de le placer devant vous de mes propres mains.

(Elle pose le plat sur la table.)

LE CHEVALIER. Mais ce n'est pas là votre tâche.

MIRANDOLINE. Oh, monsieur, pour qui me prenez-
10 vous ? Pour une grande dame ? Je ne suis que la servante de ceux qui me font l'honneur de venir loger chez moi.

LE CHEVALIER, *à part.* Quelle humilité !

MIRANDOLINE. À dire vrai, je ferais volontiers la même chose pour tous mes clients, mais cela n'est pas pos-
15 sible... vous comprenez bien pourquoi. Tandis que, chez vous, je viens sans réticence, en toute liberté.

LE CHEVALIER. Je vous remercie. Quel est ce plat ?

MIRANDOLINE. C'est un petit ragoût que j'ai fait de mes mains.

20 LE CHEVALIER. Il doit être bon. Du moment que vous l'avez fait vous-même, il doit être bon.

MIRANDOLINE. Oh, monsieur, vous me flattez. Je ne sais rien faire de bien. Mais j'aimerais être plus savante pour contenter un gentilhomme tel que vous.

25 LE CHEVALIER, *à part.* Demain, à Livourne ! *(À Mirandoline.)* Si vous avez quelque chose à faire, ne perdez pas votre temps à cause de moi.

MIRANDOLINE. Soyez sans crainte, monsieur ; ma maison ne manque ni de cuisiniers ni de serviteurs ; j'aime-
30 rais savoir ce que vous pensez de ce plat.

LE CHEVALIER. Volontiers, tout de suite. *(Il le goûte.)* Excellent ! Délicieux ! Quelle saveur ! Je ne sais pas du tout ce que c'est.

MIRANDOLINE. Ah, monsieur, j'ai mes petits secrets.
35 Ces mains-là savent en faire, des choses !

LE CHEVALIER, *au serviteur.* Sers-moi à boire.

MIRANDOLINE. Avec ce plat, monsieur, il faut du bon vin.

LE CHEVALIER, *un peu tendu, au serviteur.* Donne-moi
40 du bourgogne.

MIRANDOLINE. Parfait : le vin de Bourgogne est excellent ; selon moi c'est le meilleur des vins de table.
(Le serviteur apporte la bouteille et un verre.)

LE CHEVALIER. Votre goût est infaillible.

MIRANDOLINE. Il est vrai que je me trompe rarement.

45 LE CHEVALIER. Et pourtant, cette fois, vous vous trompez.

MIRANDOLINE. En quoi, monsieur ?

LE CHEVALIER. En croyant que je mérite les égards que vous avez pour moi.

50 MIRANDOLINE. Ah, monsieur le Chevalier...
(Elle soupire.)

LE CHEVALIER, *avec irritation.* Qu'y a-t-il ? Que signifient ces soupirs ?

MIRANDOLINE. Je vais vous dire : des attentions, j'en ai pour tout le monde, et je m'attriste en pensant qu'on n'a
55 jamais affaire qu'à des ingrats.

LE CHEVALIER, *d'un ton• plus tranquille.* Je ne serai pas ingrat avec vous.

MIRANDOLINE. Avec vous, monsieur, je ne fais que mon devoir, et je n'aurai pas la prétention de croire mériter
60 votre reconnaissance.

LE CHEVALIER. Non, non, je sais très bien... je ne suis pas aussi rustre que vous le pensez. Vous n'aurez pas à vous plaindre de moi.
(Il verse le vin dans son verre.)

MIRANDOLINE. Mais... monsieur... je ne comprends pas
65 ce que vous voulez dire...

LE CHEVALIER, *buvant.* À votre santé !

MIRANDOLINE. Mille grâces : c'est trop d'honneur, monsieur.

LE CHEVALIER. Ce vin est excellent.

70 MIRANDOLINE. Le bourgogne est ma passion.

LE CHEVALIER. Si vous en voulez, c'est sans façons.
(Il lui offre du vin.)

MIRANDOLINE. Oh merci, monsieur !

LE CHEVALIER. Vous avez déjeuné ?

MIRANDOLINE. Oui, Illustrissime.

75 LE CHEVALIER. En voulez-vous un petit verre ?

MIRANDOLINE. Je ne mérite pas une telle faveur.

LE CHEVALIER. Vraiment, je vous l'offre de bon cœur.

MIRANDOLINE. Je suis confuse de tant de bonté.

LE CHEVALIER, *au serviteur.* Apporte un autre verre.

80 MIRANDOLINE. Non, non, si vous le permettez, je prendrai celui-ci.

(Elle prend le verre du Chevalier.)

LE CHEVALIER. Mais non, voyons, je m'en suis déjà servi.

MIRANDOLINE, *riant.* Je connaîtrai vos pensées.

(Le serviteur pose l'autre verre sur le plateau.)

85 LE CHEVALIER, *versant le vin.* Ah, friponne !

MIRANDOLINE. Mais il y a déjà quelque temps que j'ai mangé ; j'ai peur que cela me fasse du mal.

LE CHEVALIER. Il n'y a pas de danger.

MIRANDOLINE. Si vous aviez la bonté de me donner un
90 petit morceau de pain...

LE CHEVALIER. Volontiers. Tenez.

(Il lui donne un morceau de pain. Mirandoline, le verre dans une main, le morceau de pain dans l'autre, paraît mal à l'aise, comme si elle ne savait pas comment tremper son pain dans le vin[1].)

LE CHEVALIER. Vous êtes mal à l'aise. Voulez-vous vous asseoir ?

MIRANDOLINE. Oh, je ne suis pas digne d'un tel hon-
95 neur, monsieur !

LE CHEVALIER. Allons, allons, nous sommes seuls. *(Au serviteur.)* Apporte une chaise.

LE SERVITEUR, *à part.* Mon maître a perdu la tête ! Je ne lui ai jamais vu en faire autant !

---

1. *tremper son pain dans le vin* : cette pratique est d'origine populaire.

(Il va chercher la chaise.)

100 MIRANDOLINE. Si monsieur le Comte et monsieur le Marquis le savaient, pauvre de moi !

LE CHEVALIER. Pourquoi ?

MIRANDOLINE. Cent fois ils ont voulu m'obliger à boire quelque chose, ou à manger à leur table, mais j'ai tou-
105 jours refusé.

LE CHEVALIER. Allons, asseyez-vous.

MIRANDOLINE. Pour vous obéir.

(Elle s'assied.)

LE CHEVALIER, *au serviteur, à voix basse.* Écoute. Ne dis à personne que la patronne s'est assise à ma table.

110 LE SERVITEUR. Soyez sans crainte. *(À part.)* Je n'en reviens pas encore !

MIRANDOLINE. À la santé de tout ce qui fait plaisir à monsieur le Chevalier.

LE CHEVALIER. Je vous remercie, aimable petite
115 patronne.

MIRANDOLINE. Bien entendu, ce vœu n'est pas pour les femmes.

LE CHEVALIER. Non ? Pourquoi ?

MIRANDOLINE. Parce que je sais que vous ne pouvez
120 pas les voir.

LE CHEVALIER. C'est vrai, je n'ai jamais pu voir les femmes.

MIRANDOLINE. Gardez-vous bien de changer.

LE CHEVALIER. Je ne voudrais pas...

(Il jette un coup d'œil en direction du serviteur.)

125 MIRANDOLINE. Quoi donc, monsieur ?

LE CHEVALIER. Écoutez. *(Il lui parle à l'oreille.)* Je ne voudrais pas que vous me fassiez changer de nature.

MIRANDOLINE. Moi, monsieur ? Comment cela ?

LE CHEVALIER, *au serviteur.* Va-t'en.

130 LE SERVITEUR. Vous voulez autre chose ?

LE CHEVALIER. Fais-moi cuire deux œufs et apporte-les moi quand ils seront cuits.

LE SERVITEUR. Comment les voulez-vous, les œufs ?

LE CHEVALIER. Comme tu voudras, dépêche-toi.

135 LE SERVITEUR. Bien, monsieur. *(À part.)* Mon maître est en train de s'échauffer.

LE CHEVALIER. Mirandoline, vous êtes une jeune femme pleine de talents.

MIRANDOLINE. Monsieur, vous vous moquez.

140 LE CHEVALIER. Écoutez : je vais vous dire quelque chose, quelque chose d'absolument vrai et qui sera tout à votre gloire.

MIRANDOLINE. Je serai ravie de l'entendre.

LE CHEVALIER. Vous êtes la première femme au monde
145 avec qui j'ai pu trouver de l'agrément à parler.

MIRANDOLINE. Je vais vous dire, monsieur le Chevalier : non que je mérite quoi que ce soit ; mais il y a parfois de ces inclinations, de ces sympathies, qui naissent même entre des gens qui se voient pour la pre-
150 mière fois ; moi aussi je ressens pour vous quelque chose que je n'ai jamais éprouvé pour personne d'autre.

LE CHEVALIER. J'ai peur que vous ne vouliez troubler mon repos.

MIRANDOLINE. Allons, monsieur le Chevalier, si vous
155 êtes un homme sage, montrez-vous tel que vous êtes, ne tombez pas dans les faiblesses des autres. Si je m'aperçois de quelque chose, je vous le dis, je ne viendrai plus jamais ici. Moi aussi je sens en moi un je ne sais quoi qui m'était jusqu'ici inconnu ; mais je ne veux pas perdre la
160 tête pour un homme, et surtout pas pour quelqu'un qui déteste les femmes et qui, pour m'éprouver peut-être et ensuite se moquer de moi, vient maintenant me tenter avec un nouveau langage. Monsieur le Chevalier, ayez l'obligeance de me redonner encore un peu de bour-
165 gogne.

(Le Chevalier verse du vin dans le verre en grommelant.)

MIRANDOLINE, *à part.* Il ne va pas résister très longtemps.

LE CHEVALIER, *lui donnant le verre.* Tenez.

MIRANDOLINE. Merci infiniment. Mais vous ne buvez
170 pas, monsieur ?

LE CHEVALIER. Oui, oui, je vais boire. *(Il verse du vin dans son propre verre. À part.)* Il vaudrait mieux que je m'enivre ; un diable chasserait l'autre.

MIRANDOLINE, *avec coquetterie.* Monsieur le Chevalier ?

175 LE CHEVALIER. Quoi donc ?

MIRANDOLINE. Trinquons. *(Elle touche son verre avec le sien.)* Vive les bons amis.

LE CHEVALIER, *un peu languissant.* Vive les bons amis.

MIRANDOLINE. Vive... tous ceux qui s'aiment... sans
180 malice... Trinquons !

LE CHEVALIER. Vive...

Mirandoline (Catherine Hiégel) et le Chevalier (Jean-Luc Boutté) trinquant (II, 4). Mise en scène de Jacques Lassalle, Comédie-Française, avril 1981.

Questions

Compréhension

1. *Le Chevalier est-il toujours parfaitement lucide ?*

2. *Repérez les différentes étapes de son évolution et de la stratégie de Mirandoline.*

3. *Sur quels traits de caractère du Chevalier Mirandoline joue-t-elle ?*

4. *Pourquoi Mirandoline porte-t-elle un plat (scène 4) ?*

5. *Montrez que Mirandoline se propose de prendre le Chevalier à son propre jeu* (« [...]chez vous, je viens sans réticence, en toute liberté ! » *(sc. 4 ; l. 15 et 16).*

6. *À quel moment précis le Chevalier juge-t-il moins la qualité des plats que l'hôtesse ?*

7. *De quelle façon Mirandoline amène-t-elle le Chevalier à faire, puis à dire, le contraire de ce qu'il prétendait faire et dire jusqu'à présent ?*

Écriture

8. *À partir de :* « Votre goût est infaillible... » *(l. 43) jusqu'à :* « Ah, Monsieur le Chevalier » *(l. 50), analysez l'enchaînement de ces répliques de la scène 4. Qu'en déduisez-vous ?*

9. *Relevez dans le texte les passages où le Chevalier se parle à lui-même. En les comparant, mettez en évidence le trouble qui s'empare de lui.*

Mise en scène

10. *L'action se passe maintenant dans la chambre du Chevalier. Comment justifiez-vous ce changement de décor ?*

11. *L'auteur• précise (scène 1) que* « Le Chevalier marche de long en large, un livre à la main. ». *Quelles précisions pourriez-vous apporter à l'acteur qui joue le rôle ?*

12. *Pourquoi le repas et la succession de plats occupent-ils une place si importante sur la scène ? En quoi cette situation vous paraît-elle bien choisie ?*

13. *Imaginez le comportement du serviteur au moment où le Chevalier parle à l'oreille de Mirandoline.*

14. *Comment jouer le personnage du Chevalier pendant la scène 4 : ridicule ? pathétique ? comique* ?*

Mirandoline et le Chevalier trinquant, lorsque surgit le Marquis (II, 4). Gravure d'Antonio Baratti, d'après un dessin de Pietro Antonio Novelli III, Venise, 1761. Paris, bibliothèque de l'Arsenal, fonds Rondel.

SCÈNE 5. Les mêmes, Le Marquis

Le Marquis. Me voici, moi aussi. Vive qui ?

Le Chevalier, *furieux.* Comment, monsieur le Marquis ?

Le Marquis. Excusez-moi, ami ; j'ai appelé ; il n'y avait
5 personne.

Mirandoline. Avec votre permission...

(Elle veut s'en aller.)

Le Chevalier, *à Mirandoline.* Attendez. *(Au Marquis.)* Je ne me suis jamais permis de semblables libertés avec vous.

10 Le Marquis. Je vous prie de m'excuser. Nous sommes amis. Je croyais que vous étiez seul. Je suis ravi de vous voir aux côtés de notre charmante petite hôtesse. Ah, qu'en dites-vous ? N'est-ce pas un chef-d'œuvre ?

Mirandoline. Monsieur, j'étais venue ici pour servir
15 monsieur le Chevalier. J'ai été prise d'un malaise et, pour me réconforter, il m'a offert un peu de bourgogne.

Le Marquis, *au Chevalier.* C'est du bourgogne, ce vin-là ?

Le Chevalier. Oui, c'est du bourgogne.

20 Le Marquis. Mais du vrai ?

Le Chevalier. Du moins je l'ai payé pour tel.

Le Marquis. Je m'y connais : laissez-moi le goûter ; je vais vous dire tout de suite si c'en est ou pas.

Le Chevalier, *appelant.* Holà !

SCÈNE 6. Les mêmes, Le serviteur, *apportant les œufs*

Le Chevalier, *au serviteur.* Apporte un petit verre au Marquis.

Le Marquis. Pas trop petit, ce verre, tout de même ; le bourgogne n'est pas une liqueur ; il faut en boire à suffi-
5 sance pour pouvoir l'apprécier.

Le serviteur. Voici les œufs.

(Il veut mettre le plat sur la table.)

Le Chevalier. Je n'en veux plus.

Le Marquis. Qu'est-ce que c'est que ça ?

Le Chevalier. Des œufs.

10 Le Marquis. Je n'aime pas les œufs.

(Le serviteur emporte le plat.)

Mirandoline. Monsieur le Marquis, avec la permission de monsieur le Chevalier, goûtez de ce petit plat que j'ai fait moi-même.

Le Marquis. Oh oui ! Eh, une chaise ! *(Le serviteur*
15 *apporte une chaise et pose le verre sur le plateau.)* Une fourchette !

Le Chevalier. Allons, apporte-lui un couvert.

(Le serviteur va le chercher.)

Mirandoline, *se levant.* Monsieur le Chevalier, je me sens mieux maintenant. Permettez-moi de me retirer.

20 Le Marquis. Faites-moi plaisir : restez encore un peu.

Mirandoline. Mais monsieur, il faut que je retourne à mes occupations ; et puis monsieur le Chevalier...

Le Marquis, *au Chevalier.* Vous permettez qu'elle reste encore un peu ?

25 Le Chevalier. Que lui voulez-vous ?

Le Marquis. Je veux vous faire goûter un peu de mon vin de Chypre ; vous allez voir, c'est quelque chose d'exceptionnel. J'aimerais bien que Mirandoline le goûte elle aussi, et qu'elle me dise ce qu'elle en pense.

30 Le Chevalier. Allons, pour faire plaisir à monsieur le Marquis, restez encore un peu.

MIRANDOLINE. Monsieur le Marquis voudra bien m'excuser.

LE MARQUIS. Vous ne voulez pas le goûter?

35 MIRANDOLINE. Une autre fois, Excellence.

LE CHEVALIER. Allons, restez.

MIRANDOLINE. Vous me l'ordonnez?

LE CHEVALIER. Restez, vous dis-je.

MIRANDOLINE. Pour vous obéir.

(Elle se rassied.)

40 LE CHEVALIER, *à part.* Je lui ai de plus en plus d'obligations[1].

LE MARQUIS, *mangeant.* Oh, quel plat! Quel ragoût! Quel parfum! Quelle saveur!

LE CHEVALIER, *à voix basse, à Mirandoline.* Le Marquis
45 va être jaloux, de vous voir assise à côté de moi.

MIRANDOLINE, *à voix basse, au Chevalier.* Qu'il pense ce qu'il veut; cela m'est bien égal.

LE CHEVALIER, *même jeu.* Vous aussi, vous êtes ennemie des hommes?

50 MIRANDOLINE, *même jeu.* Comme vous, vous l'êtes des femmes.

LE CHEVALIER, *même jeu.* Mes ennemies sont en train de se venger de moi.

MIRANDOLINE, *même jeu.* Comment cela, monsieur?

55 LE CHEVALIER, *même jeu.* Eh, petite masque[2], vous verrez...

LE MARQUIS, *buvant le vin de Bourgogne.* Ami, à votre

---

1. *obligations* : liens moraux qui assujettissent une personne à une autre.
2. *petite masque* : « fine mouche », « comédienne » : le Chevalier n'est pas dupe du jeu de Mirandoline.

santé !... Avec votre permission, il ne vaut rien. Goûtez un peu mon vin de Chypre[1].

60 LE CHEVALIER. Mais enfin, où est-il, ce vin de Chypre ?

LE MARQUIS. Ici, ici, je l'ai apporté avec moi, je veux que nous le buvions ensemble ; vous allez voir : vous m'en direz des nouvelles ! Le voici.

(Il sort une minuscule bouteille de sa poche.)

MIRANDOLINE. À ce que je vois, monsieur le Marquis
65 ne veut pas que son vin nous monte à la tête.

LE MARQUIS. Ce vin-là ? Il faut le boire goutte à goutte, comme de l'eau de mélisse. Eh, trois petits verres !

(Il ouvre la bouteille. Le serviteur apporte trois petits verres à vin de Chypre.)

LE MARQUIS. Oh, mais ils sont trop grands ! *(Il couvre le flacon de sa main.)* Vous n'en avez pas de plus petits ?

70 LE CHEVALIER, *au serviteur.* Apporte les verres à liqueur.

MIRANDOLINE. On pourrait peut-être se contenter de le sentir ?

LE MARQUIS. Hum ! Quel bouquet ! Il vous réjouit le
75 cœur !

(Il hume le vin.)

(Le serviteur apporte trois petits verres sur un plateau. Le Marquis verse avec précaution le vin dans les verres sans les remplir à ras bord, puis il en offre à Mirandoline, au Chevalier, en gardant le troisième pour lui et en bouchant bien la bouteille.)

LE MARQUIS, *buvant.* Quel nectar ! quelle ambroisie[2] ! quelle manne[3] distillée !

LE CHEVALIER, *à voix basse, à Mirandoline.* Que pensez-vous de cette cochonnerie ?

---

1. *vin de Chypre* : blanc liquoreux, à la mode au XVIIIe siècle dans les classes aisées.
2. *quel nectar, quelle ambroisie* : nourriture des dieux, dans la mythologie grecque.
3. *manne* : nourriture miraculeuse, envoyée aux Hébreux dans le désert (*Exode*, XVI, 15).

80 MIRANDOLINE, *même jeu.* De la vraie rinçure de bouteilles !

LE MARQUIS, *au Chevalier.* Alors, comment le trouvez-vous ?

LE CHEVALIER. Très bon, excellent.

85 LE MARQUIS. Et vous, Mirandoline, qu'en pensez-vous ?

MIRANDOLINE. Monsieur, moi, je ne sais pas mentir : je ne l'aime pas, je le trouve mauvais, et je ne saurais vous dire le contraire. J'admire ceux qui sont capables de
90 dissimuler leurs sentiments. Mais quand on est capable de feindre pour une chose, on l'est aussi pour toutes les autres.

LE CHEVALIER, *à part.* C'est un reproche qu'elle me fait ; je ne comprends pas pourquoi.

95 LE MARQUIS. Mirandoline, vous ne vous y connaissez pas en vin, mais je ne vous en veux pas. Le mouchoir que je vous ai donné, vous avez su l'apprécier à sa juste valeur et il vous a plu, mais ce vin de Chypre, vous n'êtes pas capable de l'apprécier.

(Il finit son verre.)

100 MIRANDOLINE, *à voix basse, au Chevalier.* Vous voyez comme il fait le glorieux ?

LE CHEVALIER, *même jeu, à Mirandoline.* Ce n'est pas moi qui me comporterais ainsi.

MIRANDOLINE, *même jeu.* Vous, vous mettez votre
105 gloire à mépriser les femmes.

LE CHEVALIER, *même jeu.* Et vous à triompher de tous les hommes.

MIRANDOLINE, *avec coquetterie.* Non, pas de tous.

LE CHEVALIER, *avec une certaine passion.* Si, de tous.

110 LE MARQUIS, *au serviteur.* Hé là, trois autres verres !
(Le serviteur les apporte sur un plateau.)

MIRANDOLINE. Si c'est pour moi, je n'en veux plus.

LE MARQUIS. Non, non, n'ayez pas peur, ce n'est pas

pour vous. *(Il verse le vin dans les verres. Au serviteur.)* Mon garçon, avec la permission de votre maître, allez
115 chez le Comte d'Albafiorita et dites-lui de ma part – bien fort, que tout le monde entende – que je le prie de goûter un peu de mon vin de Chypre.

LE SERVITEUR. À vos ordres. *(À part.)* Ils ne s'enivreront certainement pas avec ça.

(Il sort.)

120 LE CHEVALIER. Marquis, vous êtes trop généreux.

LE MARQUIS. Moi ? demandez à Mirandoline.

MIRANDOLINE. Il est vrai.

LE MARQUIS. Le Chevalier a-t-il déjà vu mon mouchoir ?

125 MIRANDOLINE. Pas encore.

LE MARQUIS, *au Chevalier.* Vous le verrez. *(Il remet la bouteille contenant un fond de vin dans sa poche.)* Ce reste de baume, je me le garde pour ce soir.

MIRANDOLINE. Faites attention que cela ne vous fasse
130 pas de mal, monsieur le Marquis.

LE MARQUIS. Ah, savez-vous ce qui me fait du mal ?

MIRANDOLINE. Quoi donc, monsieur ?

LE MARQUIS. Vos beaux yeux.

MIRANDOLINE. Vraiment ?

135 LE MARQUIS. Mon cher Chevalier, je suis follement épris de cette femme.

LE CHEVALIER. Vous m'en voyez navré.

LE MARQUIS. Vous n'avez jamais éprouvé d'amour pour une femme, vous. Si vous saviez ce que c'est, vous me
140 comprendriez et vous me plaindriez de tout cœur.

LE CHEVALIER. Oui, je comprends et je vous plains.

LE MARQUIS. Et je suis jaloux comme une bête. Je lui permets de s'asseoir à côté de vous parce que je sais qui vous êtes ; sinon je ne le souffrirais pas, même pour cent
145 mille écus !

LE CHEVALIER, *à part.* Il commence à me fatiguer, celui-là !

SCÈNE 7. LES MÊMES, *le serviteur apportant une bouteille sur un plateau*

LE SERVITEUR, *au Marquis.* Monsieur le Comte remercie Votre Excellence et lui envoie une bouteille de vin des Canaries[1].

LE MARQUIS. Quoi ! Il voudrait comparer son vin des
5 Canaries à mon vin de Chypre ! Fais-moi voir ! Pauvre fou ! C'est une cochonnerie, je le devine rien qu'à l'odeur.

(Il se lève en gardant la bouteille à la main.)

LE CHEVALIER. Goûtez-le donc d'abord.

LE MARQUIS. Je ne veux rien goûter du tout. C'est
10 encore une impertinence que me fait le Comte, après toutes celles qu'il m'a déjà faites. Il essaie toujours de m'écraser ; il veut m'humilier, il veut me pousser à bout et me contraindre à faire quelque sottise. Mais le ciel m'est témoin, je vais finir par en faire une pour de bon !
15 Mirandoline, si vous ne le chassez pas, cela va mal finir, je vous préviens, cela va mal finir. Cet homme est un téméraire. Je suis qui je suis et je n'accepterai pas plus longtemps d'être ainsi insulté.

(Il sort, en emportant la bouteille.)

SCÈNE 8. LE CHEVALIER, MIRANDOLINE, LE SERVITEUR

LE CHEVALIER. Ce pauvre Marquis est complètement fou.

MIRANDOLINE. Au cas où l'excès de bile le ferait souffrir, il a emporté la bouteille pour se réconforter.

5 LE CHEVALIER. Il est fou, vous dis-je. Et c'est vous qui l'avez rendu fou.

---

1. *vin des Canaries* : vin blanc liquoreux.

MIRANDOLINE. Est-ce que je serais de celles qui rendent les hommes fous?

LE CHEVALIER, *nerveusement.* Oui, vous êtes...

10 MIRANDOLINE. Monsieur le Chevalier, avec votre permission...

(Elle se lève pour partir.)

LE CHEVALIER. Restez.

MIRANDOLINE. Pardonnez-moi; je ne veux être responsable de la folie de personne.

(Elle s'éloigne.)

15 LE CHEVALIER, *se lève, mais sans quitter la table.* Écoutez-moi.

MIRANDOLINE, *s'éloignant.* Pardonnez-moi.

LE CHEVALIER, *sur un ton• d'autorité.* Arrêtez, vous dis-je.

20 MIRANDOLINE, *se retournant, avec hauteur.* Que prétendez-vous de moi?

LE CHEVALIER, *confus.* Rien. Buvons encore un peu de bourgogne.

MIRANDOLINE. Allons, monsieur, vite, vite, que je m'en
25 aille.

LE CHEVALIER. Asseyez-vous.

MIRANDOLINE. Non, non, debout.

LE CHEVALIER, *lui tendant un verre avec douceur.* Tenez.

MIRANDOLINE. Je vais porter une santé et je m'en irai
30 tout de suite après; c'est une santé que m'a apprise ma grand-mère.

Vive le vin, vive l'amour,
Qui nous réjouissent tour à tour!
L'un, par les yeux, va droit au cœur,
35 L'autre réveille notre ardeur.
Je bois le vin, et de mes yeux
Je fais... ce que faire tu peux.

(Elle sort.)

SCÈNE 9. Le Chevalier, Le serviteur

Le Chevalier. Bravo, bravo, venez ici, écoutez. Ah, la coquine, elle s'est enfuie ; elle s'est enfuie, en me laissant mille diables au corps.

Le serviteur, *au Chevalier.* Désirez-vous du dessert ?

5 Le Chevalier. Va-t'en au diable toi aussi ! *(Le serviteur sort.)* « Je bois le vin, et de mes yeux je fais ce que faire tu peux. » Qu'est-ce que cela signifie ? Ah, maudite, je vois clair dans ton jeu. Tu veux m'abattre, tu veux m'assassiner. Mais elle le fait avec tant de grâce ! Elle sait si
10 bien s'y prendre... Maudit diable ! auras-tu raison de moi ? Non, je vais partir pour Livourne. Je ne veux plus la voir. Qu'elle ne vienne plus m'importuner ! Maudites femmes ! C'est bien fini : je ne mettrai plus jamais les pieds dans un endroit où il y a des femmes !

Mirandoline (C. Hiégel), le Chevalier (J.-L. Boutté), le Marquis (J. Sereys) dégustant le vin de Chypre offert par ce dernier ; le serviteur (G. Giraudon) (II, 6). Mise en scène de Jacques Lassalle, Comédie-Française, avril 1981.

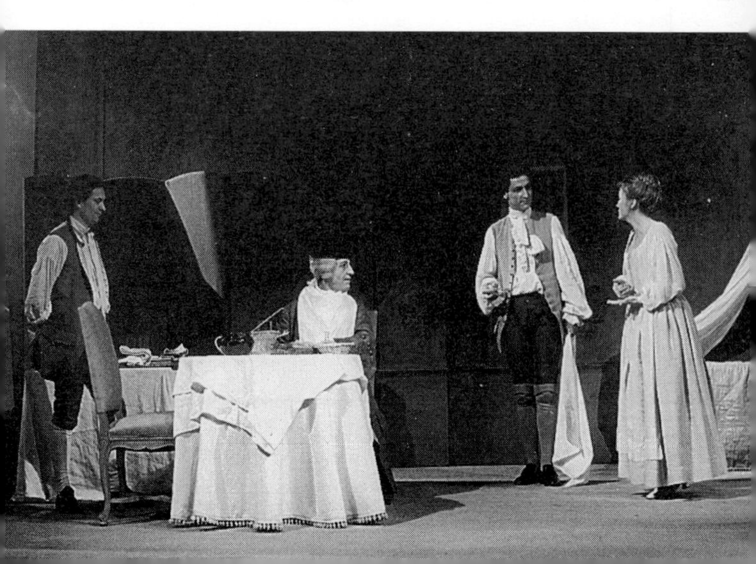

Questions

Compréhension

1. *Montrez que le personnage du Marquis est fidèle à lui-même. Quelle réaction peut-il déclencher dans le public ? Est-il sincèrement amoureux de Mirandoline ?*

2. *Le Marquis représente ici le type• du fâcheux. Montrez que sa présence sert la stratégie de Mirandoline, en particulier lorsqu'elle donne son avis sur le vin de Chypre.*

3. *À quel moment le Chevalier pourrait-il voir dans le Marquis un reflet, voire une caricature de son propre personnage ?*

Écriture

4. *Le Chevalier et Mirandoline traitent le Marquis avec ironie ; relevez les répliques qui en témoignent.*

5. *À la scène 6, dans deux didascalies• des l. 108 et 109 apparaissent les mots* « coquetterie » *et* « passion ». *Précisez-en le sens. Qu'en déduisez-vous ?*

6. *Recherchez dans les répliques du Marquis (scène 7) la manifestation de son tic de langage. L'expression peut-elle prendre une signification cruelle pour le personnage ?*

Mise en scène

7. *Analysez l'enchaînement des scènes 4 et 5. Quel est l'effet produit sur le public ? Montrez qu'un événement brusque et inattendu, comme l'intrusion du Marquis, devenait nécessaire.*

8. *Étudiez le rôle du serviteur (entrées et sorties) et des objets, dans la succession des scènes 5, 6, 7. Quel rythme conviendrait-il de donner, selon vous, à cet ensemble de scènes ? Essayez de situer la position et les déplacements des acteurs.*

9. *Qui a occupé la scène depuis le début de l'acte II ? Essayez de caractériser la double progression qui s'organise, de ce point de vue, dans les neufs premières scènes. Qu'en concluez-vous ? (Comparez les scènes 1 et 9).*

10. *En quoi les scènes 1 à 9 constituent-elles un ensemble cohérent, sur le plan thématique et sur le plan dramaturgique ?*

SCÈNE 10. LE COMTE, HORTENSE, DÉJANIRE *(La chambre du Comte.)*

LE COMTE. Le Marquis de Forlipopoli est un curieux personnage. Il est de bonne naissance, on ne peut le nier, mais son père et lui ont dissipé toute leur fortune, et maintenant il lui reste à peine de quoi vivre. Toutefois
5 il aime encore à faire le galant[1].

HORTENSE. On voit qu'il voudrait être généreux mais qu'il n'en a pas les moyens.

DÉJANIRE. Il donne le peu qu'il a, et il voudrait que tout le monde le sache.

10 LE COMTE. Ce ne serait pas un mauvais personnage pour une de vos comédies•.

HORTENSE. Attendez que le reste de la troupe arrive, que nous remontions sur la scène, et il n'est pas impossible que nous en tirions quelque chose de drôle.

15 DÉJANIRE. Il y a chez nous des gens qui savent imiter les ridicules à la perfection.

LE COMTE. Mais si vous voulez que nous puissions nous amuser, il faut que vous continuiez à jouer les grandes dames avec lui.

20 HORTENSE. Moi je suis d'accord, mais Déjanire, elle, elle cane[2] tout de suite.

DÉJANIRE. Je ne peux m'empêcher de rire quand je vois les jobards[3] qui me prennent pour une dame.

LE COMTE. En tout cas, avec moi, vous avez bien fait
25 de vous découvrir. Ainsi il me sera possible de faire quelque chose pour vous.

HORTENSE. Monsieur le Comte sera notre protecteur.

DÉJANIRE. Nous sommes amies, nous nous partagerons ses bonnes grâces.

---

1. *faire le galant* : faire le coquet, l'empressé auprès des dames.
2. *elle cane* : elle abandonne (argot).
3. *les jobards* : personnes crédules jusqu'à la bêtise (argot).

30 LE COMTE. Il faut que je vous dise quelque chose, en toute franchise : je vous rendrai service chaque fois que je le pourrai, mais j'ai un engagement qui m'empêchera de vous fréquenter assidûment.

HORTENSE. Monsieur le Comte aurait-il quelque amou-
35 rette ?

LE COMTE. Oui, je vais vous en faire la confidence : c'est la patronne de cette auberge.

HORTENSE. Diantre ! Quelle grande dame ! Je suis surprise, monsieur le Comte, de vous voir perdre ainsi votre
40 temps auprès d'une aubergiste.

DÉJANIRE. Il vaudrait mieux réserver vos faveurs à une comédienne.

LE COMTE. À dire vrai, je n'ai pas très envie de m'attacher à des personnes de votre profession : on ne peut
45 jamais compter sur vous.

HORTENSE. Mais n'est-ce pas mieux ainsi, monsieur le Comte ? Comme cela, les liaisons ne s'éternisent pas, et les hommes ne se ruinent pas.

LE COMTE. Peut-être, mais peu importe : j'aime Miran-
50 doline et je ne veux pas lui causer le moindre déplaisir.

DÉJANIRE. Mais qu'est-ce qu'elle a de si remarquable, cette femme ?

LE COMTE. Oh, beaucoup de choses !

HORTENSE. Dis donc, Déjanire, tu n'as pas vu ses
55 belles couleurs ?

(Elle mime une femme qui se farde.)

LE COMTE. Elle a beaucoup d'esprit.

DÉJANIRE. Oh, pour ce qui est de l'esprit, vous ne voudriez tout de même pas la comparer à nous ?

LE COMTE. Bon, en voilà assez maintenant. Mirando-
60 line me plaît. Si vous voulez que je sois votre ami, vous devez dire du bien d'elle ; autrement ce sera comme si vous ne m'aviez jamais vu.

HORTENSE. Oh, monsieur le Comte ! Moi je suis prête à dire que Mirandoline est Vénus en personne.

65 DÉJANIRE. Oui, oui, c'est vrai : elle a de l'esprit, elle parle bien.

LE COMTE. Voilà qui est mieux.

HORTENSE. Si c'est tout ce que vous voulez, vous serez servi.

70 LE COMTE, *regardant en direction des coulisses.* Oh, vous avez vu l'homme qui vient de passer ?

HORTENSE. Oui, je l'ai vu.

LE COMTE. En voilà encore un qui pourrait faire un bon personnage de comédie•.

75 HORTENSE. Dans quel genre ?

LE COMTE. C'est un homme qui ne peut pas voir les femmes.

DÉJANIRE. C'est un fou !

HORTENSE. Une femme lui aura sans doute joué quel-
80 que méchant tour.

LE COMTE. Pensez-vous ; il n'a jamais été amoureux. Il n'a jamais fréquenté de femmes. Il les méprise toutes ; il méprise même Mirandoline, c'est tout dire.

HORTENSE. Le pauvre homme ! Si je m'occupais de lui,
85 je parie que je le ferais changer d'avis.

DÉJANIRE. La belle affaire ! Voilà une aventure qui ne me ferait pas trop peur.

LE COMTE. Écoutez, mes chères amies : pourquoi n'essayeriez-vous pas de le rendre amoureux, comme
90 ça, pour rire ? Foi de gentilhomme, je vous récompenserai généreusement.

HORTENSE. Ce n'est pas quelque chose qui mérite récompense : je le ferai rien que pour le plaisir.

DÉJANIRE. Si monsieur le Comte veut nous donner des
95 marques de bonté, qu'il le fasse pour quelque chose qui en vaille la peine ; en attendant l'arrivée de nos camarades, nous nous amuserons un peu.

LE COMTE. J'ai peur que vous n'arriviez à rien.

HORTENSE. Monsieur le Comte, vous nous tenez en
100 piètre estime !

DÉJANIRE. Certes, nous n'avons pas autant de charme

que Mirandoline, mais nous avons quand même un tout petit peu d'expérience.

LE COMTE. Voulez-vous que je le fasse venir ?

105 HORTENSE. Comme il vous plaira.

LE COMTE. Holà, quelqu'un !

SCÈNE 11. LES MÊMES, LE SERVITEUR DU COMTE

LE COMTE, *au serviteur.* Va dire au Chevalier de Ripafratta qu'il ait l'obligeance de venir me trouver, j'ai à lui parler.

LE SERVITEUR. Je sais qu'il n'est pas dans sa chambre.

5 LE COMTE. Je l'ai vu qui se dirigeait vers les cuisines. Tu l'y trouveras certainement.

LE SERVITEUR. J'y vais tout de suite.

(Il sort.)

LE COMTE, *à part.* Qu'est-ce qu'il peut bien être allé faire du côté des cuisines ? Je parie qu'il est allé gronder
10 Mirandoline parce qu'il n'a pas été satisfait du repas qu'elle lui a servi.

HORTENSE. Monsieur le Comte, j'avais prié monsieur le Marquis de m'envoyer son bottier, mais j'ai bien peur de ne jamais le voir.

15 LE COMTE. Ne vous inquiétez pas, je m'en occuperai.

DÉJANIRE. Et à moi, monsieur le Marquis m'avait promis un mouchoir : je peux toujours attendre !

LE COMTE. On en trouvera des mouchoirs.

DÉJANIRE. C'est que j'en avais vraiment besoin.

20 LE COMTE, *lui offrant son mouchoir de soie.* Si celui-ci vous convient, prenez-le, il est propre.

DÉJANIRE. Vous êtes trop bon, monsieur le Comte.

LE COMTE. Ah, voici le Chevalier. Il vaut mieux que vous continuiez à vous faire passer pour des personnes
25 de condition, pour l'obliger à vous écouter, au moins par

politesse. Mais écartez-vous un peu : s'il vous aperçoit, il va s'enfuir tout de suite.

HORTENSE. Comment s'appelle-t-il ?

LE COMTE. Le Chevalier de Ripafratta ; il est toscan.

30 DÉJANIRE. Il est marié ?

LE COMTE. Je vous ai dit qu'il ne peut pas voir les femmes.

HORTENSE, *se retirant vers le fond de la scène.* Il est riche ?

35 LE COMTE. Oui, très.

DÉJANIRE, *même jeu.* Il est généreux ?

LE COMTE. Oui, plutôt.

DÉJANIRE. Qu'il vienne, qu'il vienne !

HORTENSE. Laissez-nous faire et soyez tranquille.

SCÈNE 12. LES MÊMES, LE CHEVALIER

LE CHEVALIER. Comte, est-ce vous qui m'avez demandé ?

LE COMTE. Oui, je me suis permis de vous déranger.

LE CHEVALIER. Que puis-je faire pour vous ?

5 LE COMTE. Ces deux dames ont besoin de vous. *(Il lui montre les deux comédiennes, qui s'approchent vivement.)*

LE CHEVALIER. Veuillez m'excuser, je n'ai pas le temps de m'attarder.

HORTENSE. Monsieur le Chevalier, nous ne voulons pas vous importuner.

10 DÉJANIRE. Un mot, de grâce, monsieur le Chevalier.

LE CHEVALIER. Mesdames, je vous supplie de me pardonner ; une affaire urgente m'appelle ailleurs.

HORTENSE. Deux mots, et nous vous laissons.

DÉJANIRE. Deux petits mots, monsieur, et c'est tout.

15 LE CHEVALIER, *à part.* Que le diable emporte le Comte !

LE COMTE. Cher ami, quand deux dames demandent quelque chose, la civilité exige qu'on les écoute.

LE CHEVALIER, *aux deux femmes, l'air sérieux.* Pardonnez-moi. En quoi puis-je vous être utile ?

20 HORTENSE. N'êtes-vous pas toscan, monsieur ?

LE CHEVALIER. Oui, madame.

DÉJANIRE. Vous devez avoir des amis à Florence.

LE CHEVALIER. Oui, j'y ai des amis et des parents.

DÉJANIRE. Sachez, monsieur... Chère amie, je vous
25 laisse commencer...

HORTENSE. Je vais vous dire, monsieur le Chevalier... Sachez que certaines circonstances...

LE CHEVALIER. Mesdames, je vous en prie ; j'ai à régler une affaire d'importance.

30 LE COMTE. Mesdames, je vois que ma présence vous embarrasse ; confiez-vous en toute liberté au Chevalier. Je vous laisse seules avec lui.

LE CHEVALIER. Non, ami, restez... Écoutez-moi...

LE COMTE. Je sais où est mon devoir. Mesdames, je
35 suis votre serviteur.

(Il sort.)

Questions

Compréhension

1. *Relevez les allusions au théâtre.*

2. *Quelle conception les personnages ont-ils de la sincérité dans les rapports humains ?*

3. *Ce sont les comédiennes qui se proposent de rendre le Chevalier amoureux, « pour rire ». Quelle incidence cette remarque a-t-elle sur l'idée que l'on peut se faire du personnage de Mirandoline et de la conquête amoureuse ?*

4. *Quelle image les comédiennes donnent-elles de leur personne ? de leur profession ?*

5. *Complétez le portrait du Comte et montrez comment ce portrait s'enrichit.*

Écriture

6. *Étudiez les fonctions du langage dans la scène 12.*

Mise en scène

7. *Comment assurer le passage de la scène 9 à la scène 10 ? Quel est l'effet produit sur le rythme de la pièce ?*

8. *Expliquez le mouvement des deux comédiennes à la fin de la scène 11 et au début de la scène 12.*

SCÈNE 13. HORTENSE, DÉJANIRE, LE CHEVALIER

HORTENSE. Je vous en prie, asseyons-nous.

LE CHEVALIER. Excusez-moi, je n'ai pas envie de m'asseoir.

DÉJANIRE. Une telle rudesse, avec des femmes?

5 LE CHEVALIER. Ayez l'obligeance de me dire ce que vous voulez.

HORTENSE. Nous avons besoin de votre aide, de votre bonté, de votre protection.

LE CHEVALIER. Que vous est-il arrivé?

10 DÉJANIRE. Nos maris nous ont abandonnées.

LE CHEVALIER, *avec hauteur.* Abandonnées? Comment? Deux dames de condition abandonnées? Qui sont vos maris?

DÉJANIRE, *à Hortense.* Chère amie, je n'ose pas conti-
15 nuer...

HORTENSE, *à part.* Il a l'air si méchant que je ne sais pas comment m'en sortir, moi non plus.

LE CHEVALIER, *se dirigeant vers la porte.* Mesdames, je vous salue.

20 HORTENSE. Comment! C'est ainsi que vous nous traitez!

DÉJANIRE. Un gentilhomme! Se conduire de la sorte!

LE CHEVALIER. Pardonnez-moi : je suis quelqu'un qui tient par-dessus tout à sa tranquillité. J'entends parler de
25 dames abandonnées par leurs maris : c'est une affaire bien délicate et qui exige beaucoup de diplomatie; je ne suis pas propre à ce genre de manège; je mène une existence retirée et solitaire. Très nobles dames, vous ne pouvez espérer de moi ni assistance ni conseils.

30 HORTENSE. Eh bien puisqu'il en est ainsi, cessons de lui faire peur, à notre aimable Chevalier.

DÉJANIRE. Oui, parlons-lui avec sincérité.

LE CHEVALIER. Que veut dire ce changement de langage?

35 HORTENSE. Nous ne sommes pas des femmes de qualité.

LE CHEVALIER. Non ?

DÉJANIRE. Monsieur le Comte a voulu vous jouer un tour.

40 LE CHEVALIER. Le tour est joué. Je vous salue.

(Il veut s'en aller.)

HORTENSE. Attendez.

LE CHEVALIER. Que voulez-vous ?

DÉJANIRE. Ayez la bonté de nous accorder un moment d'entretien.

45 LE CHEVALIER. J'ai à faire ; je ne peux m'attarder davantage.

HORTENSE. Nous n'en voulons pas à votre bourse.

DÉJANIRE. Votre réputation ne risque rien avec nous.

HORTENSE. Nous savons que vous ne pouvez pas voir
50 les femmes.

LE CHEVALIER. Vous le savez. Eh bien, tant mieux... Je vous salue...

(Il veut partir.)

HORTENSE. Mais écoutez-nous : nous ne sommes pas des femmes qui peuvent vous donner de l'ombrage[1].

55 LE CHEVALIER. Qui êtes-vous ?

HORTENSE. Dites-le lui, Déjanire.

DÉJANIRE. Vous pouvez le lui dire vous-même.

LE CHEVALIER. Allons, qui êtes-vous ?

HORTENSE. Nous sommes deux comédiennes.

60 LE CHEVALIER. Deux comédiennes ! Parlez, parlez, je n'ai plus peur de vous. Je suis tout à fait prévenu en faveur de votre art.

HORTENSE. Que voulez-vous dire ?

LE CHEVALIER. Je sais que vous feignez sur scène et

1. *donner de l'ombrage* : donner un sentiment de défiance.

65 hors de scène, et le sachant, je n'ai plus rien à craindre de vous.

DÉJANIRE. Monsieur, hors de scène je ne sais pas feindre.

LE CHEVALIER. Comment vous appelle-t-on ? Madame
70 La Sincère ?

DÉJANIRE. Je m'appelle...

LE CHEVALIER, *à Hortense.* Et vous ? Madame La Finaude ?

HORTENSE. Cher Monsieur, je...

75 LE CHEVALIER, *à Hortense.* Comment vous y prenez-vous pour plumer les pigeons ?

HORTENSE. Je ne suis pas...

LE CHEVALIER. Et les michés[1], comment les traîtez-vous, ma bonne amie ?

80 DÉJANIRE. Je ne suis pas de celles...

LE CHEVALIER. Moi aussi je sais parler argot.

HORTENSE. Oh, ce cher Chevalier...

(Elle veut le prendre par le bras.)

LE CHEVALIER, *lui donnant une tape sur les mains.* Bas les pattes !

85 HORTENSE, *à Déjanire.* Oh, mais il serait parfait dans un rôle de cul-terreux !

LE CHEVALIER. Insolente ! C'est ainsi que vous parlez d'un gentilhomme ? Vous savez ce que vous êtes ? Deux impertinentes !

90 DÉJANIRE. Me traiter d'impertinente, moi !

HORTENSE. Impertinente, une femme comme moi !

LE CHEVALIER, *à Hortense.* Joli, ce visage peinturluré !

HORTENSE, *à part.* Quelle brute !

(Elle sort.)

LE CHEVALIER, *à Déjanire.* Ravissant, ce faux chignon !

95 DÉJANIRE, *à part.* Quel goujat !

(Elle sort.)

---

1. *les michés* : voir note 1, p. 56.

SCÈNE 14. LE CHEVALIER, *puis* SON SERVITEUR

LE CHEVALIER. J'ai quand même réussi à m'en débarrasser, à la fin. Qu'est-ce qu'elles s'imaginaient? Qu'elles allaient me prendre dans leurs filets? Pauvres sottes! Qu'elles aillent maintenant raconter au Comte comment s'est passée cette belle scène. Si elles avaient été des femmes de qualité, j'aurais été obligé de quitter la place par respect pour leur condition. Mais chaque fois que je le peux, je prends un plaisir fou à malmener les femmes. Pourtant c'est quelque chose que je n'ai pu faire avec Mirandoline : elle m'a comblé de tant de prévenances qu'elle m'a presque contraint de l'aimer. Mais elle est femme ; je ne veux pas m'y fier. Je vais partir. Oui, demain je pars. Mais si j'attends demain, si je dors ici ce soir, qui m'assure que Mirandoline ne viendra pas à bout de ma résistance? *(Il réfléchit un instant.)* Allons, agissons en homme : prenons une résolution courageuse.

LE SERVITEUR. Monsieur.

LE CHEVALIER. Que veux-tu?

LE SERVITEUR. Monsieur le Marquis vous attend dans votre chambre : il a quelque chose à vous dire.

LE CHEVALIER. Qu'est-ce qu'il me veut encore, cette espèce de fou? Si c'est de l'argent, qu'il n'y compte plus. Qu'il attende! Quand il sera las d'attendre, il s'en ira. Va trouver Fabrice et dis-lui qu'il m'apporte ma note immédiatement.

LE SERVITEUR, *se dirigeant vers la porte.* Tout de suite, monsieur.

LE CHEVALIER. Écoute : fais en sorte que mes bagages soient prêts dans deux heures.

LE SERVITEUR. Vous voulez partir?

LE CHEVALIER. Oui. Apporte-moi mon épée et mon chapeau, sans que le Marquis s'en aperçoive.

LE SERVITEUR. Mais s'il me voit faire les bagages?

LE CHEVALIER. Qu'il dise ce qu'il voudra. Tu as compris?

LE SERVITEUR, *en s'en allant, à part.* Quel malheur ! Il va falloir quitter Mirandoline !

LE CHEVALIER. Il est vrai, cependant : à l'idée de partir
40 d'ici, je ressens je ne sais quel déplaisir inconnu, que je n'avais jamais éprouvé jusqu'ici. Que serait-ce si je restais ! Ah, il faut absolument que je parte au plus vite ! Femmes, femmes, je dirai encore et toujours plus de mal de vous : même quand vous voulez nous faire du bien,
45 vous n'êtes capables que de nous nuire !

Questions

Compréhension

1. *Quelle est la vraie raison de la colère du Chevalier ?*

2. *Est-ce uniquement par ses «prévenances» que Mirandoline a «contraint» le Chevalier à l'aimer ? Que pensez-vous de l'explication que le Chevalier se donne à lui-même ?*

3. *Le jugement que le Chevalier porte sur les femmes à la scène 14 :* «Même quand vous voulez nous faire du bien, vous n'êtes capables que de nous nuire» *(l. 44 et 45) s'applique-t-il à la situation ?*

Écriture

4. *Scène 13 : étudiez le rôle du langage dans la distinction des classes sociales.*

5. *Scène 13 : étudiez le champ lexical du paraître.*

6. *Scène 14 : dans l'expression :* «elle est femme» *(l. 12), commentez l'absence de déterminant.*

Mise en scène

7. *Entraînez-vous à dire le court monologue• du Chevalier, à la fin de la scène 14. À quel moment du texte pourrait-on marquer une pause plus longue qu'à l'ordinaire ? Pourquoi ? Quels gestes indiqueriez-vous à l'acteur qui joue le rôle ? Notez-les par une ou deux didascalies•.*

SCÈNE 15. Le Chevalier, Fabrice

Fabrice. Est-ce vrai, monsieur, que vous avez demandé votre note ?

Le Chevalier. Oui, vous l'avez apportée ?

Fabrice. La patronne est en train de la préparer.

5 Le Chevalier. C'est elle qui tient les comptes ?

Fabrice. Oui, toujours elle. Elle le faisait même du vivant de son père. Elle sait écrire et compter mieux que n'importe quel commis.

Le Chevalier, *à part.* Quelle femme extraordinaire !

10 Fabrice. Mais vous voulez déjà nous quitter ?

Le Chevalier. Oui, mes affaires l'exigent.

Fabrice. Je vous prie de ne pas oublier le valet.

Le Chevalier. Apportez-moi ma note, je sais ce que j'ai à faire.

15 Fabrice. Vous voulez que je vous l'apporte ici ?

Le Chevalier. Oui, pour le moment je ne veux pas aller dans ma chambre.

Fabrice. Vous avez raison ; dans votre chambre il y a monsieur le Marquis. Vous savez comment il est : vous
20 n'arriverez plus à vous en dépêtrer. Ah, il est bon, celui-là ! Il fait les yeux doux à la patronne, mais il peut toujours se lécher les doigts. Mirandoline doit être ma femme.

Le Chevalier, *en colère.* La note !

25 Fabrice. Tout de suite.

(Il sort.)

SCÈNE 16. Le Chevalier, *seul.*

Ils sont tous amoureux de Mirandoline. Il n'est pas surprenant que moi aussi je me sois laissé enflammer. Mais je vais partir, je vais triompher de cette force inconnue... Que vois-je ? Mirandoline ? Elle a un papier à la main :
5 ce doit être ma note. Il faut subir ce dernier assaut. De toute manière, dans deux heures je serai parti.

SCÈNE 17. LE CHEVALIER, MIRANDOLINE, *une feuille de papier à la main*

MIRANDOLINE, *l'air triste.* Monsieur.

LE CHEVALIER. Qu'y a-t-il, Mirandoline ?

MIRANDOLINE, *se tenant à distance.* Pardonnez-moi.

LE CHEVALIER. Venez, approchez-vous.

5 MIRANDOLINE, *avec tristesse.* Vous avez demandé votre note ; je vous ai obéi.

LE CHEVALIER. Donnez-la moi.

MIRANDOLINE, *s'essuyant les yeux avec son tablier.* La voici.

10 LE CHEVALIER. Qu'avez-vous ? Vous pleurez ?

MIRANDOLINE. Ce n'est rien, monsieur, c'est de la fumée qui m'est allée dans les yeux.

LE CHEVALIER. De la fumée... ? Enfin... À combien se monte ma note ? *(Il lit.)* Vingt paoli ? Pour quatre jours,
15 un prix aussi dérisoire : vingt paoli ?

MIRANDOLINE. C'est là votre note.

LE CHEVALIER. Et les deux plats que vous avez préparés tout spécialement pour moi ce matin, ils ne figurent pas sur la note ?

20 MIRANDOLINE. Excusez-moi : je n'ai pas l'habitude de faire payer ce que je donne.

LE CHEVALIER. C'est un cadeau que vous m'avez fait ?

MIRANDOLINE. Pardonnez la liberté que j'ai prise. Veuillez l'accepter comme une marque de...
(Elle se couvre le visage de son tablier comme si elle pleurait.)

25 LE CHEVALIER. Mais qu'avez-vous ?

MIRANDOLINE. Je ne sais pas si c'est la fumée, ou quelque inflammation.

LE CHEVALIER. Je ne voudrais pas que vous ayez eu à souffrir en préparant pour moi ces deux plats délicieux.

30 MIRANDOLINE. Si c'était pour cela, je le souffrirais... de bon cœur...
(Elle fait mine de se retenir à grand-peine de pleurer.)

Le Chevalier, *à part.* Ah, si je ne pars pas... *(À Mirandoline).* Tenez. Voici quatre écus : acceptez-les pour l'amour de moi... et... *(Bredouillant.)* ... pardonnez-
35 moi...
Mirandoline, sans dire un mot, tombe comme évanouie sur une chaise.)

Le Chevalier. Mirandoline ! Grand Dieu, Mirandoline ! Elle s'est évanouie. Serait-elle amoureuse de moi ? Mais si vite ? Et pourquoi pas ? Ne suis-je pas amoureux d'elle ? Chère Mirandoline... Chère ? Moi, dire chère à
40 une femme ? Mais si elle s'est évanouie à cause de moi ? Oh, que tu es belle ! Si j'avais quelque chose pour la ranimer ! Moi qui ne fréquente pas les femmes, je n'ai pas de sels, je n'ai rien. Holà, quelqu'un ! Il n'y a personne ? Vite... Je vais aller chercher moi-même du
45 secours. Pauvre enfant ! Que tu sois bénie !
(Il sort et revient un moment après.)

Mirandoline. Cette fois, il est pris et bien pris ! Nombreuses sont les armes avec lesquelles nous triomphons des hommes, mais quand ils sont obstinés, il n'y a rien de mieux qu'un bon évanouissement pour nous donner
50 la victoire. Le voilà, le voilà, il revient.
(Elle se replace sur la chaise, dans la même position que précédemment.)

Le Chevalier, *revenant avec un vase rempli d'eau.* J'arrive, j'arrive. Et elle n'a pas encore repris connaissance. Ah, certainement, cette femme m'aime. *(Il lui asperge le visage et elle bouge légèrement.)* Courage,
55 courage. Je suis là, mon aimée, pour le moment je ne pars plus.

SCÈNE 18. Les mêmes, Le serviteur, *apportant l'épée et le chapeau du Chevalier*

Le serviteur, *au Chevalier.* Voici votre épée et votre chapeau.

Le Chevalier, *au serviteur, rageusement.* Va-t'en !

LE SERVITEUR. Les bagages...

5 LE CHEVALIER. Va-t'en, par tous les diables !

LE SERVITEUR. Mirandoline...

LE CHEVALIER. Va-t'en, ou je te brise le crâne. *(Il brandit le vase dans sa direction ; le serviteur s'en va.)* Et elle n'a pas encore repris connaissance ? Son front est tout
10 moite. Allons, chère Mirandoline, prenez courage, ouvrez les yeux, parlez-moi sans contrainte.

SCÈNE 19. LES MÊMES, LE MARQUIS *et* LE COMTE

LE MARQUIS. Chevalier ?

LE COMTE. Ami ?

LE CHEVALIER, *furieux.* Que le diable les emporte !

LE MARQUIS. Mirandoline !

5 MIRANDOLINE, *se levant.* Mon Dieu...

LE MARQUIS. C'est moi qui l'ai fait revenir à elle.

LE COMTE. Tous mes compliments, monsieur le Chevalier.

LE MARQUIS. Pour quelqu'un qui ne peut pas voir les
10 femmes, félicitations !

LE CHEVALIER. Que signifie cette impertinence ?

LE COMTE. Vous vous êtes laissé prendre, à ce que je vois ?

LE CHEVALIER. Allez au diable, tous autant que vous
15 êtes !

(En quittant la pièce avec fureur, il jette à terre le vase qui se brise aux pieds du Comte et du Marquis.)

LE COMTE. Le Chevalier est devenu fou.

(Il sort.)

LE MARQUIS. Il devra me rendre compte de cet affront.

(Il sort.)

MIRANDOLINE. La partie est gagnée : son cœur est en feu, en flammes, en cendres ! Il ne me reste plus, afin
20 que ma victoire soit complète, qu'à rendre public mon triomphe, pour la plus grande honte des hommes présomptueux, et pour la plus grande gloire de notre sexe.

Questions

Compréhension

1. *Cherchez un titre qui pourrait convenir à cet ensemble de scènes. (Vous pourrez vous aider d'une réplique de Mirandoline, à la fin de la scène 17.)*

2. *Étudiez le rôle de l'argent dans la scène 17.*

3. *Le Chevalier découvre l'amour ; cherchez dans ses propos (scène 17) des témoignages de sa spontanéité, de sa naïveté et de sa prudence.*

Écriture

4. *Relevez dans les didascalies• de la scène 17 les indications qui prouvent le duplicité de Mirandoline.*

5. *Dans la réplique qui suit* « l'évanouissement » *de Mirandoline cherchez toutes les marques de l'émotion éprouvée par le Chevalier (syntaxe, vocabulaire, ponctuation).*

6. *Montrez que les dernières répliques du Comte et du Marquis reflètent fidèlement ce que nous savons déjà de ces personnages.*

7. *Observez, dans la dernière réplique de Mirandoline, le passage du singulier* « ma victoire » *au collectif* « notre sexe ». *Comment l'interprétez-vous ?*

Mise en scène

8. *Entraînez-vous à dire et à jouer la fin de la scène 17, depuis l'évanouissement de Mirandoline. Quels effets variés peut-on chercher à produire sur le public par le rôle du Chevalier : pathétique ? comique• ?*

9. *Quelle est la fonction des scènes 18 et 19 ? Pourraient-elles être supprimées ? Sur quel rythme doivent-elles être jouées ?*

Bilan

L'action

• **Ce que nous savons :**

À la fin du deuxième acte, Mirandoline peut légitimement s'écrier : «La partie est gagnée!» *(scène 19). Quelques instants auparavant, en effet, (scène 17), le Chevalier était aux pieds de la représentante du sexe abhorré et l'appelait des noms les plus tendres.*

Comment un changement aussi radical s'est-il opéré ? Les temps forts de cette transformation sont la scène 4, tout entière occupée par le repas du Chevalier, puis les scènes 16 et 17, au cours desquelles Mirandoline vient apporter la note à celui qui, ayant compris le danger, a décidé de partir au plus vite. Les périodes d'accélération du temps alternent avec des périodes de ralentissement : l'action principale est soit suspendue par une échappée vers l'intrigue• secondaire (scènes 10 et 11) – les deux intrigues• se télescopent dans les scènes 12 et 13 – soit retardée par l'intervention inopportune du Marquis (scènes 5, 6, 8, 9).

Un rapide retour sur l'ensemble permet de comprendre comment Goldoni donne du rythme à cet acte II. La scène 4 est précédée d'une phase de préparation. Dès le moment où le Chevalier observe que «l'on mange plus tôt que d'habitude», *on comprend qu'un petit grain de sable vient de gripper le mécanisme de la routine quotidienne.*

À partir de cet instant, tout semble comploter pour que le Chevalier modifie son regard sur Mirandoline. La scène 4 nous offre une panoplie variée des armes de la séduction féminine : une modestie de bon aloi, un air de parfaite innocence, des soupirs à fendre l'âme mettent en valeur des qualités de maîtresse de maison inégalées. Tout cela conduit assez rapidement le Chevalier à faire asseoir son hôtesse, puis à partager avec elle le vin et le pain, puis, de confidences en fines allusions, on se prépare à trinquer, lorsque le Marquis, par une de ces interventions dont il a le secret, vient interrompre le cours du destin. En réalité, la présence du fâcheux a pour effet de créer un lien de connivence entre ses victimes. C'est alors qu'éclate une sorte de coup de théâtre : on croyait le Chevalier définitivement pris au piège, mais voici que, la diablesse disparue, il se reprend, et décide de ne mettre «plus jamais les pieds dans un endroit où il y a des femmes». *C'est à cet instant que Goldoni a l'habileté de suspendre le cours de l'action principale et de nous transporter vers l'action secondaire qui, nous l'avons vu, n'est pas sans lien avec la première : même scène de repas, même tentative des femmes pour séduire le misogyne ; c'est bien dans ce jeu de miroirs que le Chevalier aperçoit l'image de la femme qu'il tient en horreur : cupide, déguisée et sans scrupules, image qui le renvoie évidemment à celle, toute différente selon lui, de Mirandoline.*

• À quoi nous attendre ?

Le Chevalier est vaincu, mais Mirandoline n'est pas satisfaite. Sa dernière réplique annonce l'acte III : « Il ne me reste plus, afin que ma victoire soit complète, qu'à rendre public mon triomphe... ».

Les personnages

• Le Chevalier : *Il est évidemment en totale contradiction avec lui-même. On peut même parler à son propos de deux hommes opposés : misogyne rempli d'assurance au début de l'acte, on le retrouve amoureux fou à la fin du même acte. On l'a vu flairer le danger et, se rassurant régulièrement (*« demain je pars à Livourne »*), s'engager d'autant plus facilement vers sa perte. Son caractère s'est enrichi : on le découvre gourmand; il est sensible à certaines prévenances : il n'est pas aussi maladroit qu'on pourrait le penser dans le maniement du langage amoureux, mais il s'offre pourtant en pâture à son ennemi avec une naïveté aussi touchante que ridicule.*

• Mirandoline : *La jeune femme se manifeste essentiellement par l'habileté consommée avec laquelle elle attire le Chevalier dans le piège de l'amour. C'est elle qui gouverne, avec une maîtrise absolue, le déroulement de l'action, si bien que l'analyse de son rôle se confond avec celle de l'intrigue* proprement dite. Sa stratégie repose sur un principe extrêmement simple : il s'agit de prendre le misogyne à son propre jeu, d'abord en tombant d'accord avec lui à propos des femmes, ensuite en prenant prétexte de la protection que lui assure cette haine du sexe féminin pour venir plus librement à sa rencontre et pour lui faire croire qu'elle peut enfin, avec lui, parler en toute sincérité. Elle réussit ainsi à lui montrer qu'il est un homme exceptionnel, et qu'elle-même est la seule femme qui possède cette qualité chère entre toutes aux yeux du Chevalier : la sincérité. C'est bien sur la découverte d'une double singularité comme celle-ci que se joue la rencontre amoureuse. En somme, la tactique de Mirandoline consiste à s'offrir et à se refuser simultanément : elle s'offre souvent à la vue du Chevalier, mais se refuse à lui puisqu'elle lui rappelle, d'abord avec le soulagement d'une femme libérée de la compagnie de ses courtisans, puis avec un air de tristesse de plus* *en plus affirmé, que l'amour ne saurait naître entre elle et cet ennemi des femmes. La seule issue qui s'offre au Chevalier pour sortir de la contradiction dans laquelle il se laisse enfoncer est soit de renoncer à l'opinion qu'il a des femmes en général, soit d'admettre que, puisque Mirandoline n'est pas une femme comme les autres, il peut l'aimer sans se renier.*

• **Le Marquis :** *C'est un des moteurs, ou plutôt l'un des freins de l'action. Ses apparitions allongent le temps et accroissent l'impatience du Chevalier; il joue à merveille le rôle du fâcheux; de surcroît, d'un égocentrisme puéril, pique-assiette et gourmand, vaniteux et radin.*
Son amour pour Mirandoline passe après sa gourmandise et semble n'être qu'un pur ornement de l'esprit, une galanterie mondaine qu'il doit à son rang, tout en sachant, « morbleu », *qu'il lui est impossible d'épouser une roturière.*

• **Le Comte :** *Sa présence se manifeste essentiellement dans l'intrigue• secondaire, où il joue un rôle assez proche de celui que tient Mirandoline avec Déjanire et Hortense, à l'acte I. C'est en effet à son initiative que les deux comédiennes vont jouer, comme sur la scène d'un théâtre, deux dames de qualité, afin de relever le même défi que Mirandoline : vaincre le Chevalier. Sûr de sa force et de son droit, il a le mérite de ne pas s'encombrer de précautions inutiles lorsqu'il s'agit de dire la vérité. Sa franchise fait rebondir la satire des gens de théâtre.*

L'écriture

L'ensemble de l'acte II est dominé par la rencontre entre le Chevalier et Mirandoline. Le ton• dominant est celui de la comédie• galante : on notera le rôle de l'allusion, du non-dit, le glissement progressif des généralités prudentes (« les hommes », « les femmes ») *aux situations particulières* (« moi », « je », « vous », « tu »); *les répliques prononcées à voix basse, les fréquents apartés•, les silences, même, et les monologues• du Chevalier jalonnent l'entreprise de séduction conduite par Mirandoline jusqu'à son terme. Ce badinage amoureux n'a sans doute pas la subtilité du marivaudage, mais il ne manque ni de grâce ni de légèreté. Un des aspect les plus originaux de l'acte II réside dans les jeux de miroir entre la séduction jouée par Mirandoline d'une part, et par les comédiennes d'autre part.*

ACTE III

SCÈNE 1. MIRANDOLINE, *puis* FABRICE

(Une pièce dans l'appartement de Mirandoline ; une table et du linge à repasser.)

MIRANDOLINE. Allons, il ne s'agit plus de s'amuser, maintenant. Il faut que je songe un peu à mes affaires. Je vais repasser ce linge avant qu'il ne soit complètement sec. *(Elle appelle.)* Fabrice !

5 FABRICE. Madame ?

MIRANDOLINE. Pouvez-vous m'apporter un fer bien chaud, s'il vous plaît ?

FABRICE, *la mine grave.* Oui, madame.

(Il se dirige vers la porte.)

MIRANDOLINE. Excusez-moi si je fais appel à vous pour 10 ce genre de besogne.

FABRICE. De rien, madame. Tant que je mange votre pain, mon devoir est de vous obéir.

(Il s'éloigne.)

MIRANDOLINE. Un instant, écoutez : ce n'est pas là votre travail, je le sais bien. Mais ce sont des choses que 15 vous faites volontiers pour moi, pour me faire plaisir, n'est-ce pas ? Et moi, de mon côté... enfin, je n'en dis pas plus.

FABRICE. Moi, s'il le fallait, j'irais même vous chercher de l'eau avec mes oreilles, mais je vois bien que c'est 20 peine perdue.

MIRANDOLINE. Peine perdue ? Pourquoi ? Croyez-vous que je sois une ingrate ?

FABRICE. Les gens comme moi ne vous intéressent pas. Vous aimez trop la noblesse.

25 MIRANDOLINE. Vraiment ? Pauvre nigaud, si je pouvais tout vous dire... Allez, vite, allez me chercher ce fer.

FABRICE. Mais puisque j'ai vu, de mes yeux vu...

MIRANDOLINE. Allons, assez bavardé. Apportez-moi ce fer.

30 FABRICE. J'y vais, j'y vais. *(Il s'éloigne.)* Je vous obéis, mais ça ne durera pas toujours.

MIRANDOLINE, *comme si elle se parlait à elle-même, mais assez haut pour que Fabrice l'entende.* Ah, ces hommes! Plus on les aime et plus on a du mal à les contenter.

FABRICE, *revenant sur ses pas, avec attendrissement.*
35 Qu'avez-vous dit?

MIRANDOLINE. Eh bien, vous me l'apportez ce fer, oui ou non?

FABRICE. Oui, je vous l'apporte. *(À part.)* Je n'y comprends rien. Avec elle on ne sait jamais sur quel
40 pied danser. Je n'y comprends rien.

SCÈNE 2. MIRANDOLINE, *puis* LE SERVITEUR DU CHEVALIER

MIRANDOLINE. Pauvre sot! Il enrage tant qu'il peut, mais il faut bien qu'il m'obéisse. Ah, je n'ai pas à me donner beaucoup de peine pour obliger les hommes à faire tout ce que je veux. Et ce cher Chevalier, qui détes-
5 tait tellement les femmes? Si je voulais, maintenant, je pourrais lui faire faire n'importe quelle sottise.

LE SERVITEUR *du Chevalier.* Madame Mirandoline.

MIRANDOLINE. Qu'y a-t-il, mon ami?

LE SERVITEUR. Mon maître m'envoie vous saluer et
10 vous demander comment vous vous portez.

MIRANDOLINE. Dites-lui que je me porte très bien.

LE SERVITEUR. Il a dit aussi que vous buviez un peu de cette eau de mélisse[1], que cela vous fera beaucoup de bien.

1. *mélisse* : médicament obtenu par distillation de l'alcool sur une plante aromatique, la mélisse.

(Il lui tend un flacon en or.)

MIRANDOLINE. Il est en or, ce flacon ?

LE SERVITEUR. Oui, Madame, en or, vous pouvez me
15 croire.

MIRANDOLINE. Pourquoi ne m'a-t-il pas donné cette eau de mélisse quand j'ai eu cet horrible évanouissement ?

LE SERVITEUR. C'est qu'alors il n'avait pas ce flacon.

20 MIRANDOLINE. Et comment se fait-il qu'il l'ait, maintenant ?

LE SERVITEUR. Écoutez, je vais vous le dire, mais c'est un secret. Il a fait venir un joaillier et il a acheté ce flacon pour douze sequins ; ensuite il m'a envoyé chez
25 un apothicaire chercher de l'eau de mélisse.

(Mirandoline éclate de rire.)

LE SERVITEUR. Pourquoi riez-vous ?

MIRANDOLINE. Parce qu'il m'envoie le médicament, maintenant que mon mal est guéri.

LE SERVITEUR. Il pourra être utile une autre fois.

30 MIRANDOLINE. Allons, je vais en boire un petit peu, en guise de précaution. *(Elle boit.)* Tenez, remerciez-le.

(Elle lui tend le flacon.)

LE SERVITEUR. Oh, mais le flacon est pour vous.

MIRANDOLINE. Comment, pour moi ?

LE SERVITEUR. Oui, mon maître l'a acheté tout exprès.

35 MIRANDOLINE. Exprès pour moi ?

LE SERVITEUR. Oui, exprès pour vous, mais chut !

MIRANDOLINE. Rapportez-lui son flacon, et dites-lui que je le remercie.

LE SERVITEUR. Allons donc.

40 MIRANDOLINE. Je vous dis de le lui rapporter, je n'en veux pas.

LE SERVITEUR. Vous lui feriez cet affront ?

MIRANDOLINE. Assez discuté. Faites ce qu'on vous demande.

45 LE SERVITEUR. C'est bon, je vais le lui rapporter.

(À part.) Quelle femme ! Elle refuse un cadeau de douze sequins ! Ah, je ne retrouverai plus jamais une femme pareille, elle est vraiment unique en son genre !

(Il sort.)

SCÈNE 3. MIRANDOLINE, *puis* FABRICE

MIRANDOLINE. Décidément, c'est de l'amour ou je ne m'y connais pas ! Oh, le Chevalier s'est diablement entiché de moi ! Mais comme je n'ai pas agi avec lui par intérêt, je veux qu'il soit obligé de reconnaître la force
5 des femmes sans pouvoir dire qu'elles sont intéressées et vénales[1].

FABRICE, *l'air sombre, un fer à la main.* Voici votre fer.

MIRANDOLINE. Il est bien chaud ?

FABRICE. Il est chaud, oui, et moi... je bous.

10 MIRANDOLINE. Qu'y a-t-il encore ?

FABRICE. Monsieur le Chevalier fait des compliments, monsieur le Chevalier envoie des cadeaux. Je le sais, c'est son valet qui me l'a dit.

MIRANDOLINE. Oui, monsieur. Il m'a envoyé un flacon
15 en or, et je le lui ai renvoyé.

FABRICE. Vous le lui avez renvoyé ?

MIRANDOLINE. Oui, demandez au valet.

FABRICE. Pourquoi avez-vous fait cela ?

MIRANDOLINE. Pour que... Fabrice... ne puisse pas
20 dire... allons, laissons cela.

FABRICE. Chère Mirandoline, pardonnez-moi.

MIRANDOLINE. Allez, partez, laissez-moi repasser.

FABRICE. Je ne veux pas vous empêcher...

MIRANDOLINE. Allez me préparer un autre fer, et quand
25 il sera chaud, apportez-le moi.

---

1. *vénales* : une femme vénale se laisse acheter au mépris de la morale.

FABRICE. Oui, j'y vais. Croyez-moi, s'il m'arrive de dire quelque chose...

MIRANDOLINE. Taisez-vous, ou je vais finir par me fâcher.

30 FABRICE. Je me tais.

(À part.)

C'est une drôle de petite personne, mais je l'aime.

(Il sort.)

MIRANDOLINE. Voilà qui n'est pas mal trouvé non plus. Je me fais un mérite aux yeux de Fabrice d'avoir refusé le cadeau du Chevalier. Voilà ce qui s'appelle savoir
35 vivre, savoir profiter de tout avec bonne grâce, avec élégance, et même avec un peu de désinvolture. En matière d'adresse, je ne veux pas que l'on puisse dire que je fais tort à mon sexe.

(Elle repasse.)

Questions

Compréhension

1. *Quels sont les sentiments qu'éprouve Mirandoline à l'égard de Fabrice ? Fabrice à l'égard de Mirandoline ? Quelle est la place du statut social de Fabrice dans cette relation ? Mirandoline joue-t-elle encore la comédie• ici ?*

2. *Montrez comment le portrait de Mirandoline se précise et s'enrichit. Le personnage vous paraît-il sympathique ? pourquoi ?*

3. *Mirandoline est-elle sincère lorsqu'elle explique à Fabrice la raison pour laquelle elle a refusé le cadeau du Chevalier ?*

4. *En quoi Mirandoline ressemble-t-elle aux comédiennes ? En quoi cherche-t-elle à s'en distinguer ?*

Écriture

5. *Relevez les verbes à l'impératif. Qui les utilise ? Qu'en déduisez-vous ?*

6. *Relevez les expressions qui, dans les répliques de Mirandoline, désignent la femme en général. Quelle portée cherche-t-elle à donner à son action ?*

Mise en scène

7. *Quelle signification peut-on attribuer au choix du lieu où se déroule l'action ?*

8. *Que pensez-vous de l'étonnement de Mirandoline à la scène 2, lorsque le serviteur lui apprend que le flacon d'eau de mélisse est pour elle ? Exercez-vous à dire les deux répliques de Mirandoline :* « Comment, pour moi ? » *(l. 33) et* « Exprès pour moi ? » *(l. 35) en traduisant un étonnement sincère puis en feignant l'étonnement.*

SCÈNE 4. LE CHEVALIER, MIRANDOLINE

LE CHEVALIER, *dans le fond de la scène, à part.* La voilà. Je ne voulais pas venir, mais le diable m'a traîné jusqu'ici.

MIRANDOLINE, *l'observant du coin de l'œil sans cesser de repasser.* Le voilà, le voilà.

5 LE CHEVALIER. Mirandoline ?

MIRANDOLINE, *repassant.* Oh, monsieur le Chevalier. Votre très humble servante.

LE CHEVALIER. Comment allez-vous ?

MIRANDOLINE. Très bien, pour vous servir.
(Elle continue à repasser sans le regarder.)

10 LE CHEVALIER. J'ai des raisons de me plaindre de vous.

MIRANDOLINE, *lui jetant un rapide coup d'œil.* Pourquoi, monsieur ?

LE CHEVALIER. Parce que vous avez refusé le petit flacon que je vous ai envoyé.

15 MIRANDOLINE, *repassant.* Que vouliez-vous que j'en fasse ?

LE CHEVALIER. Que vous vous en serviez en cas de besoin.

MIRANDOLINE. Grâce au ciel, je ne suis pas sujette aux
20 évanouissements. Ce qui m'est arrivé aujourd'hui ne m'était jamais arrivé auparavant.
(Elle repasse.)

LE CHEVALIER. Chère Mirandoline... Je ne voudrais pas avoir été la cause de ce funeste accident.

MIRANDOLINE, *repassant.* Et pourtant, j'ai bien peur
25 qu'il en soit ainsi.

LE CHEVALIER, *avec passion.* Est-ce possible ?

MIRANDOLINE, *repassant avec colère.* Oui, vous m'avez fait boire de ce maudit vin de Bourgogne, et il m'a fait du mal.

30 LE CHEVALIER, *mortifié.* Comment ? Vraiment ?

MIRANDOLINE. C'est cela, à n'en pas douter. Je n'y viendrai jamais plus, dans votre chambre.

(Elle repasse.)

LE CHEVALIER, *amoureusement.* Je vous entends. Vous ne viendrez plus dans ma chambre ? Je comprends ce
35 mystère. Oui, je le comprends. Mais venez-y, chère Mirandoline, et vous n'aurez pas lieu de vous plaindre.

MIRANDOLINE. Ce fer n'est pas assez chaud. *(Elle appelle.)* Eh, Fabrice ! si l'autre fer est chaud, apportez-le moi.

40 LE CHEVALIER. Faites-moi cette grâce. Acceptez ce flacon.

MIRANDOLINE, *avec mépris, tout en repassant.* Sachez, monsieur le Chevalier, que je n'accepte jamais de cadeaux.

45 LE CHEVALIER. Vous avez pourtant bien accepté ceux du Comte.

MIRANDOLINE, *repassant.* Par force, pour ne pas le fâcher.

LE CHEVALIER. Et moi, vous me fâcheriez ? Vous n'hé-
50 siteriez pas à me faire cet affront ?

MIRANDOLINE. Que vous importe, à vous, qu'une femme vous fâche ? De toute manière vous ne pouvez pas voir les femmes.

LE CHEVALIER. Ah, Mirandoline, je ne peux plus parler
55 ainsi désormais.

MIRANDOLINE. C'est la nouvelle lune, aujourd'hui, Monsieur le Chevalier ?

LE CHEVALIER. Mon revirement n'a rien à voir avec la lune : c'est un prodige opéré par votre beauté, votre
60 grâce.

(Mirandoline rit aux éclats tout en repassant.)

LE CHEVALIER. Vous riez ?

MIRANDOLINE. Vous ne voudriez pas que je rie ? Vous plaisantez, et vous ne voudriez pas que je rie ?

LE CHEVALIER. Ah, friponne ! Je plaisante, n'est-ce
65 pas ? Allons, prenez ce flacon.

MIRANDOLINE, *repassant.* Merci, merci.

LE CHEVALIER. Prenez-le, ou je vais me mettre en colère.

MIRANDOLINE, *criant à tue-tête.* Fabrice ! Le fer !

70 LE CHEVALIER, *avec véhémence.* Vous le prenez, oui ou non ?

MIRANDOLINE. Oh là là ! quelle colère !
(Elle prend le flacon et le jette avec mépris dans la corbeille à linge.)

LE CHEVALIER. C'est tout le cas que vous en faites ?

MIRANDOLINE, *appelant de toutes ses forces.* Fabrice !

SCÈNE 5. LES MÊMES, FABRICE, *un fer à la main*

FABRICE. Me voici.
(Il aperçoit le Chevalier et se rembrunit aussitôt.)

MIRANDOLINE, *prenant le fer.* Il est bien chaud ?

FABRICE, *l'air sombre.* Oui, madame.

MIRANDOLINE, *à Fabrice, affectueusement.* Qu'avez-
5 vous ? Vous n'avez pas l'air content ?

FABRICE. Rien, patronne, rien.

MIRANDOLINE, *même jeu.* Vous ne vous sentez pas bien ?

FABRICE. Donnez-moi l'autre fer, si vous voulez que je
10 le mette à chauffer.

MIRANDOLINE, *même jeu.* Vraiment, j'ai peur que vous ne soyez pas bien.

LE CHEVALIER. Allons, donnez-lui ce fer, et qu'il s'en aille.

15 MIRANDOLINE, *au Chevalier.* Je l'aime beaucoup, vous savez ? C'est mon homme de confiance.

LE CHEVALIER, *se contenant à grand-peine, à part.* Je n'y tiens plus.

MIRANDOLINE. Tenez, mon cher Fabrice, mettez ce fer
20 à chauffer.

(Elle donne le fer à Fabrice.)

FABRICE, *avec tendresse.* Madame...

MIRANDOLINE. Allons, allons, dépêchez-vous, s'il vous plaît.

(Elle le chasse.)

FABRICE, *à part.* Mais qu'est-ce que c'est que cette vie ?
25 Je suis à bout de forces.

(Il sort.)

SCÈNE 6. MIRANDOLINE, LE CHEVALIER

LE CHEVALIER. Que d'amabilité, madame, pour votre valet !

MIRANDOLINE. Et alors, que voudriez-vous dire ?

LE CHEVALIER. On voit que vous êtes éprise de lui.

5 MIRANDOLINE. Moi, éprise d'un valet ? Vous me faites là un joli compliment, monsieur. Je n'ai pas le goût si bas, moi. Si je voulais aimer, je n'emploierais pas si mal mon temps.

(Elle continue de repasser.)

LE CHEVALIER. Vous mériteriez l'amour d'un roi.

10 MIRANDOLINE, *repassant.* Du roi de pique ou du roi de carreau ?

LE CHEVALIER. Parlons sérieusement, Mirandoline, et laissons là ces plaisanteries.

MIRANDOLINE, *repassant toujours.* Parlez, je vous
15 écoute.

LE CHEVALIER. Ne pourriez-vous pas vous arrêter un instant de repasser ?

MIRANDOLINE. Mille pardons. Je tiens à ce que ce linge soit prêt pour demain.

20 LE CHEVALIER. Vous tenez donc plus à ce linge qu'à moi ?

MIRANDOLINE, *repassant.* Assurément.

LE CHEVALIER. Et vous avez le cœur de me le dire avec cette tranquillité ?

25 MIRANDOLINE, *repassant.* Bien sûr. Parce que j'ai besoin de ce linge, tandis que vous vous ne pouvez m'être d'aucune utilité.

LE CHEVALIER. Bien au contraire. Vous pouvez disposer de moi librement.

30 MIRANDOLINE. Mais puisque vous ne pouvez pas voir les femmes !

LE CHEVALIER. Ne me tourmentez plus. Vous vous êtes assez vengée. Je vous estime, j'estime les femmes qui vous ressemblent, si jamais il en existe. Je vous estime, 35 je vous aime et je vous prie d'avoir pitié de moi.

MIRANDOLINE. Oui, monsieur, on le lui dira.
(En repassant nerveusement, elle laisse tomber une manchette.)

LE CHEVALIER, *se baisse pour ramasser la manchette et la lui donne.* Croyez-moi...

MIRANDOLINE. Ne vous donnez pas cette peine.

LE CHEVALIER. Vous méritez d'être servie.
(Mirandoline rit aux éclats.)

40 LE CHEVALIER. Vous riez ?

MIRANDOLINE. Je ris, parce que vous vous moquez de moi.

LE CHEVALIER. Mirandoline, je n'en peux plus.

MIRANDOLINE. Vous vous sentez mal ?

45 LE CHEVALIER. Oui, je me sens défaillir.

MIRANDOLINE. Tenez, voici votre eau de mélisse.
(Elle lui jette avec mépris le flacon.)

LE CHEVALIER. Ne soyez pas aussi cruelle avec moi. Croyez-moi, je vous aime, je vous le jure. *(Il veut lui prendre la main, et elle le brûle avec le fer à repasser.)* Aïe !

50 MIRANDOLINE. Excusez-moi, je ne l'ai pas fait exprès.

LE CHEVALIER. Peu importe, cela n'est rien. La vraie brûlure est ailleurs.

MIRANDOLINE. Où donc, monsieur ?

LE CHEVALIER. Dans le cœur.

55 MIRANDOLINE, *appelant en riant.* Fabrice !

LE CHEVALIER. Par pitié, n'appelez pas cet homme !

MIRANDOLINE. Mais j'ai besoin de mon fer !

LE CHEVALIER. Attendez... (mais non)... je vais appeler mon serviteur.

60 MIRANDOLINE, *voulant appeler à nouveau.* Eh, Fabrice...

LE CHEVALIER. Par le ciel ! S'il s'amène, celui-là, je lui fends le crâne !

MIRANDOLINE. C'est un peu fort ! Je n'aurais plus le droit de me servir de mes gens ?

65 LE CHEVALIER. Appelez quelqu'un d'autre. Celui-là, je ne peux pas le voir.

MIRANDOLINE. Il me semble que vous allez un peu trop loin, monsieur le Chevalier.

(Elle s'écarte de la table en gardant le fer à la main.)

LE CHEVALIER. Pardonnez-moi, je ne sais plus où j'en
70 suis.

MIRANDOLINE. Puisque c'est ainsi, c'est moi qui vais aller à la cuisine, et vous serez content.

LE CHEVALIER. Non, chère Mirandoline, ne partez pas.

MIRANDOLINE, *marchant de long en large.* C'est tout de
75 même extraordinaire !

LE CHEVALIER, *la suivant.* Pardonnez-moi.

MIRANDOLINE, *même jeu.* Je ne pourrai pas appeler qui je veux ?

LE CHEVALIER, *même jeu.* Je vous l'avoue, je suis jaloux
80 de cet homme.

MIRANDOLINE, *tout en marchant, à part.* Il me suit comme un petit chien.

LE CHEVALIER. C'est la première fois que j'éprouve ce que c'est que l'amour.

85 MIRANDOLINE, *marchant de long en large.* Personne ne m'a jamais donné d'ordres.

LE CHEVALIER, *la suivant.* Ce n'est pas un ordre, c'est une prière.

MIRANDOLINE, *se retournant, avec hauteur.* Que voulez-
90 vous de moi ?

LE CHEVALIER. Amour, compassion, pitié.

MIRANDOLINE. Un homme qui, ce matin, ne pouvait pas voir les femmes vient maintenant me demander de l'amour, de la compassion, de la pitié ? Cela ne peut
95 être. Non, c'est impossible, je ne veux pas y croire. *(À part.)* Étouffe, crève, ça t'apprendra à mépriser les femmes !

(Elle sort.)

SCÈNE 7. LE CHEVALIER, *seul*

LE CHEVALIER. Maudit soit l'instant où j'ai commencé à regarder cette femme ! Je suis tombé dans le piège, et il n'y a plus de remède[1] !

1. *l. 1 à 3* : dans l'édition Paperini de 1753, le Chevalier poursuivait son monologue• en ces termes : « *Advienne que pourra, je ne partirai pas d'ici sans avoir donné quelque satisfaction à ma passion, dût-il m'en coûter la vie. Si Mirandoline, après m'avoir enflammé à ce point, se montre cruelle avec moi, j'en atteste le ciel, je saurai me montrer inflexible avec elle* ».

Questions

Compréhension

1. *Par quels états successifs le Chevalier passe-t-il au cours de la scène 4?*

2. *Mirandoline est-elle sincère lorsqu'elle prétend, à la scène 6, ne pouvoir être* «éprise d'un valet» *(l. 5 à 8).*

3. *Analyser la progression dans l'humiliation du Chevalier. Son revirement et sa faiblesse vous semblent-ils psychologiquement vraisemblables?*

4. *La cruauté de Mirandoline vous paraît-elle excessive? Essayez d'imaginer les réactions du public.*

5. *Quelle image Goldoni donne-t-il de l'amour, à travers le comportement du Chevalier?*

6. *À la fin de la scène 6, la colère de Mirandoline est-elle feinte ou non?*

Écriture

7. *Relevez les expressions par lesquelles Mirandoline affirme son indépendance.*

8. *Le Chevalier demande :* «Amour, compassion, pitié» *(scène 6; l. 91). Après avoir précisé le sens de chacun de ces trois termes, dites s'ils vous semblent désigner des sentiments compatibles les uns avec les autres.*

9. *Cherchez dans la scène 6 les répliques où apparaît l'ironie de Mirandoline.*

10. *Comparez les deux versions du monologue*• *du Chevalier (scène 7 et note de bas de page). Laquelle vous paraît la meilleure? Pourquoi?*

11. *Mirandoline résume ainsi son art de vivre :* «savoir profiter de tout avec bonne grâce, avec élégance, et même avec un peu de désinvolture» *(scène 4; l. 60 et 61). Cherchez la signification des trois derniers substantifs. Le personnage vous semble-t-il conforme à l'image qu'il veut donner de lui-même?*

Mise en scène

12. *Au début de la scène 4, le Chevalier se tient* «dans le fond de la scène, à part». *À la fin de la même scène, il tend le flacon à*

Mirandoline, et celle-ci le prend. Comment graduer le déplacement du Chevalier tout au long de la scène ? Faites apparaître votre choix par des didascalies•*, et placez-les aux endroits du texte que vous jugez convenables.*

13. *Quel est l'effet recherché par les déplacements des personnages à la fin de la scène 6 ?*

14. *Servilité du Chevalier, docilité de Fabrice : comment rendre compte de la ressemblance entre ces personnages, dans leur rapport à Mirandoline ? (scène 5).*

Mirandoline, Fabrice et le Chevalier réunis dans la lingerie de l'auberge (III, 5). Théâtre de la Huchette, mai 1953.

SCÈNE 8. LE MARQUIS, LE CHEVALIER

LE MARQUIS. Chevalier, vous m'avez insulté.
LE CHEVALIER. Excusez-moi, ce fut un accident.
LE MARQUIS. Vous me voyez surpris de vos manières.
LE CHEVALIER. Mais enfin, le vase ne vous a même pas
5 touché.
LE MARQUIS. Une goutte d'eau a taché mon habit.
LE CHEVALIER. Je vous le répète, excusez-moi.
LE MARQUIS. C'est là une impertinence.
LE CHEVALIER. Je ne l'ai pas fait exprès. Pour la troi-
10 sième fois, excusez-moi.
LE MARQUIS. Je veux que vous me rendiez raison[1] de
cet affront.
LE CHEVALIER. Si vous ne voulez pas m'excuser, si
vous voulez que je vous rende raison, je suis là, je n'ai
15 pas peur de vous.
LE MARQUIS, *changeant de ton*•. Je crains que cette
tache ne veuille plus partir ; c'est ce qui m'a mis en
colère.
LE CHEVALIER, *avec colère*. Quand un gentilhomme
20 vous prie de l'excuser, que voulez-vous de plus ?
LE MARQUIS. Si vous ne l'avez pas fait intentionnelle-
ment, n'en parlons plus.
LE CHEVALIER. Je vous répète que je suis prêt à vous
rendre raison quand vous le voudrez.
25 LE MARQUIS. Allons, laissons cela.
LE CHEVALIER. Et ça se prétend gentilhomme !
LE MARQUIS. Voilà qui est fort ! Maintenant que ma
colère est passée, c'est vous qui vous ingéniez à faire
monter la vôtre !
30 LE CHEVALIER. Et oui, il se trouve que je ne suis pas
bien luné aujourd'hui.

---

1. *vous me rendiez raison* : vous me rendiez justice, en acceptant un duel, comme le veut l'usage dans la noblesse.

LE MARQUIS. Allons, je vous pardonne, je sais ce qui vous tracasse.

LE CHEVALIER. Je ne m'occupe pas de vos affaires, 35 moi.

LE MARQUIS. Alors, monsieur l'ennemi des femmes, vous vous y êtes laissé prendre, hein ?

LE CHEVALIER. Moi ? qu'est-ce à dire ?

LE MARQUIS. Oui, vous êtes amoureux...

40 LE CHEVALIER. Je suis... Que le diable vous emporte !

LE MARQUIS. À quoi bon dissimuler ?

LE CHEVALIER. Laissez-moi tranquille, sinon, le ciel m'est témoin que je vous en ferai repentir !

(Il sort.)

SCÈNE 9. LE MARQUIS, *seul*

LE MARQUIS, *seul.* Il est amoureux, il en a honte et il ne veut pas que cela se sache. Mais peut-être ne veut-il pas que cela se sache tout simplement parce qu'il a peur de moi ? Oui, il doit craindre de se déclarer pour mon 5 rival... Ah, cette tache me chagrine infiniment... Si je savais comment la faire disparaître ! Les femmes ont parfois une espèce de terre pour ôter les taches. *(Il regarde sur la table et dans le panier à linge.)* Tiens, le beau flacon ! Est-il en or ou en peinchebec[1] ? Oh, il doit être en 10 peinchebec. S'il était en or, on ne l'aurait pas laissé ici. S'il contenait de l'eau de la reine, ce serait parfait pour enlever cette tache. *(Il ouvre le flacon, hume et goûte.)* C'est de l'eau de mélisse. Oh, cela ne doit pas être mal non plus. J'ai envie d'essayer.

1. *peinchebec* : alliage de cuivre, de zinc, d'or et d'argent, utilisé pour fabriquer des objets et des bijoux bon marché.

SCÈNE 10. Le Marquis, Déjanire

Déjanire. Monsieur le Marquis, que faites-vous ici tout seul ? Pourquoi nous privez-vous ainsi de votre aimable compagnie ?

Le Marquis. Oh, madame la Comtesse, j'allais juste-
5 ment venir vous saluer.

Déjanire. Mais qu'étiez-vous en train de faire ?

Le Marquis. Vous voyez, je tiens extrêmement à la propreté. Je voulais essayer de faire partir cette petite tache.

10 Déjanire. Avec quoi, monsieur ?

Le Marquis. Avec cette eau de mélisse.

Déjanire. Oh, je vous demande pardon : l'eau de mélisse n'est pas du tout ce qu'il faut ; au contraire, cela ne ferait qu'agrandir la tache.

15 Le Marquis. Comment faire alors ?

Déjanire. J'ai un secret, moi, pour enlever les taches.

Le Marquis. Seriez-vous assez bonne pour me l'apprendre ?

Déjanire. Volontiers. Avec un petit écu, je m'engage à
20 faire si bien disparaître cette tache qu'on ne verra même plus où elle était.

Le Marquis. Et il faut un écu pour cela ?

Déjanire. Oui, monsieur ; cela vous paraît-il trop cher payé ?

25 Le Marquis. Il vaut mieux essayer l'eau de mélisse.

Déjanire. Permettez : elle est bonne, cette eau de mélisse ?

Le Marquis. Excellente. Goûtez-la.

(Il lui tend le flacon.)

Déjanire, *la goûtant.* Oh, je sais en faire de meilleure.

30 Le Marquis. Vous savez faire des élixirs[1] ?

---

1. *élixirs* : préparations très raffinées, possédant des vertus extraordinaires.

DÉJANIRE. Oui, monsieur, je sais faire un peu de tout.

LE MARQUIS. Compliments, chère petite Comtesse !

DÉJANIRE. Il est en or, ce flacon ?

LE MARQUIS. Bien sûr. *(À part.)* Elle ne sait pas faire la
35 différence entre le peinchebec et l'or véritable.

DÉJANIRE. Il est à vous, monsieur le Marquis ?

LE MARQUIS. Oui, et à vous si vous le désirez.

DÉJANIRE, *mettant le flacon dans sa poche.* Très obligée.

LE MARQUIS. Eh, vous voulez rire, n'est-ce pas ?

40 DÉJANIRE. Comment, ne me l'avez-vous pas offert ?

LE MARQUIS. Ce n'est pas un présent digne de vous, ce n'est qu'une bagatelle. Je vous offrirai quelque chose de mieux si vous le souhaitez.

DÉJANIRE. Oh, mais c'est déjà beaucoup trop. Je vous
45 remercie, monsieur le Marquis.

LE MARQUIS. Écoutez, il faut que je vous dise la vérité : ce n'est pas de l'or, c'est du peinchebec.

DÉJANIRE. Tant mieux ! Il n'en a que plus de valeur à mes yeux. Et puis tout ce qui vient de vous est précieux.

50 LE MARQUIS. Eh bien, que voulez-vous que je vous dise, gardez-le, si vous y tenez. *(À part.)* Tant pis ! il faudra le payer à Mirandoline. Qu'est-ce que cela peut bien valoir ? Pas grand-chose, certainement.

DÉJANIRE. Monsieur le Marquis, vous êtes un gentil-
55 homme généreux.

LE MARQUIS. Je suis confus de vous avoir fait présent d'une pareille babiole[1]. Je voudrais que ce flacon fût réellement en or.

DÉJANIRE. Vraiment, on jurerait qu'il est en or. *(Elle*
60 *sort le flacon de sa poche et l'examine attentivement.)* N'importe qui s'y tromperait.

LE MARQUIS. C'est vrai ; ceux qui n'ont pas l'habitude

1. *babiole* : petit objet sans valeur.

de l'or peuvent se méprendre, mais moi je le reconnais au premier coup d'œil.

65 DÉJANIRE. Même au poids, on dirait de l'or.

LE MARQUIS. Et pourtant ce n'en est pas.

DÉJANIRE. Je vais le montrer à mon amie.

LE MARQUIS. Écoutez, madame la Comtesse, ne le faites pas voir à Mirandoline. C'est une mauvaise langue.
70 Vous voyez ce que je veux dire.

DÉJANIRE. Je vois très bien. Je le montrerai seulement à Hortense.

LE MARQUIS. À la Baronne ?

DÉJANIRE. Oui, oui, à la Baronne.

(Elle sort en riant.)

SCÈNE 11. LE MARQUIS, *puis* LE SERVITEUR DU CHEVALIER

LE MARQUIS. Elle rit sans doute de m'avoir si joliment soutiré ce flacon. S'il avait été en or, cela aurait été pareil. Heureusement, je n'aurai pas de mal à arranger cette affaire. Si Mirandoline redemande son flacon, je le
5 lui paierai... quand j'aurai de quoi.

LE SERVITEUR, *cherchant sur la table.* Où diable peut-il être, ce flacon ?

LE MARQUIS. Que cherchez-vous, mon garçon ?

LE SERVITEUR. Je cherche un flacon d'eau de mélisse.
10 Madame Mirandoline le voudrait. Elle m'a dit qu'elle l'a laissé ici, mais je ne le vois pas.

LE MARQUIS. C'était un flacon en peinchebec ?

LE SERVITEUR. Non, monsieur, il était en or.

LE MARQUIS. En or ?

15 LE SERVITEUR. Oui, en or. Je l'ai vu de mes propres yeux payer douze sequins.

(Il cherche.)

LE MARQUIS, *à part.* Corbleu ! *(Au serviteur.)* Mais pourquoi laisser traîner ainsi un flacon en or ?

LE SERVITEUR. Elle l'a oublié. En tout cas, moi, je ne le
20 vois pas.

LE MARQUIS. Je n'arrive toujours pas à croire qu'il ait pu être en or.

LE SERVITEUR. Il était en or, je vous l'assure. Votre Excellence l'aurait-elle vu, par hasard ?

25 LE MARQUIS. Moi ?... Non, je n'ai rien vu.

LE SERVITEUR. C'est bon. Je lui dirai que je ne trouve rien. Tant pis pour elle. Elle n'avait qu'à le mettre dans sa poche !

(Il sort.)

Le Chevalier, le Comte et le Marquis réunis (III, 17). Théâtre des Nations, juin 1956 ; Paolo Stoppa à gauche.

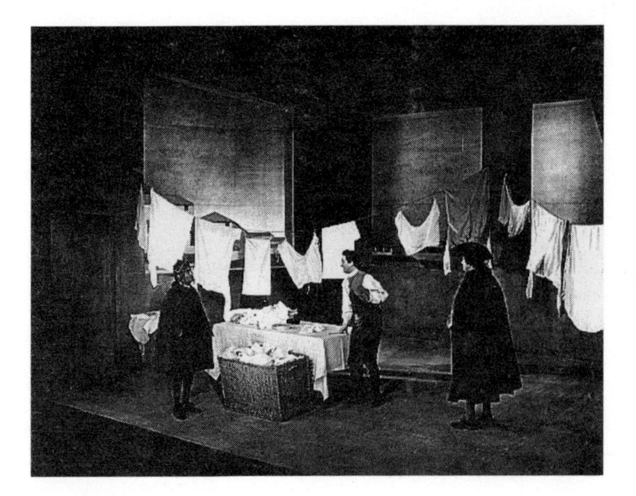

Questions

Compréhension

1. *Montrez que ce que Mirandoline a projeté à la fin de l'acte II est en train de se réaliser.*

2. *Essayez de mettre à jour les ressorts du comique• dans la scène 8, en particulier par le jeu des contrastes.*

3. *Scène 10 : Déjanire vous paraît-elle conforme à son rôle de Comtesse ? Montrez que cette scène est un écho des scènes précédentes. Que pensez-vous du destin du flacon d'eau de mélisse ? de la rapidité avec laquelle Déjanire le met dans sa poche ?*

4. *Que pensez-vous de l'insistance avec laquelle le Marquis répète que ce flacon n'est pas en or ?*

Écriture

5. *Trouvez un titre qui rende compte de la scène 10, par exemple en intégrant l'idée de tromperie.*

6. *Relevez dans la scène 10 les répliques qui vous semblent les plus drôles et les plus savoureuses.*

Mise en scène

7. *Étudiez l'enchaînement des scènes 7 et 8. Quel est l'effet produit par l'apparition du Marquis ? Est-ce la première fois qu'il intervient de cette manière ? La scène 8 fait-elle progresser l'action ? Quelle est sa fonction ?*

8. *Comment Goldoni rend-il naturelle la sortie du Chevalier, à la fin de la scène 8 ?*

9. *Essayez d'analyser le rôle et la circulation des objets depuis le début de la pièce.*

10. *Entraînez-vous à dire la fin de la scène 10, à partir des deux hypothèses suivantes :*
– Le Marquis est persuadé que le flacon est en or.
– Le Marquis commence à se demander si le flacon n'est pas en or.

11. *Quelle tonalité les scènes 9, 10 et 11 apportent-elles, après les scènes 4, 5, 6, 7 ?*

SCÈNE 12. LE MARQUIS, *puis* LE COMTE

LE MARQUIS. Oh, pauvre Marquis de Forlipopoli ! J'ai donné un flacon en or, un flacon qui vaut douze sequins, et je l'ai donné pour du peinchebec ! Comment dois-je me comporter dans une affaire de cette importance ? Si
5 je redemande le flacon à la Comtesse, je vais me rendre ridicule à ses yeux. Mais si Mirandoline apprend que je l'ai eu entre les mains, mon honneur est en péril. Je suis gentilhomme. Il faut que je le paye. Mais je n'ai pas d'argent.

10 LE COMTE. Que dites-vous, monsieur le Marquis, de la nouveauté du jour ?

LE MARQUIS. Quelle nouveauté ?

LE COMTE. Notre farouche Chevalier, l'ennemi mortel des femmes, eh bien, il est amoureux de Mirandoline.

15 LE MARQUIS. Tant mieux. J'en suis bien aise. Qu'il reconnaisse à son corps défendant le mérite de cette femme. Qu'il voie que je ne m'éprends pas de n'importe qui, qu'il peine et qu'il crève pour châtiment de son impertinence.

20 LE COMTE. Mais si Mirandoline l'aimait, elle aussi ?

LE MARQUIS. Cela est impossible. Elle ne peut me faire cet affront. Elle sait qui je suis. Elle sait tout ce que j'ai fait pour elle.

LE COMTE. J'ai fait pour elle encore bien plus que
25 vous, mais tout a été vain. Mirandoline est aux petits soins pour le Chevalier ; elle a pour lui des attentions qu'elle n'a jamais eues, ni pour vous ni pour moi ; et cela prouve bien que plus vous en faites pour les femmes, moins elles vous en savent gré. Elles se moquent de
30 ceux qui les adorent et elles courent après ceux qui les méprisent.

LE MARQUIS. Si cela était vrai... mais cela ne peut être.

LE COMTE. Et pourquoi cela ne peut-il être ?

LE MARQUIS. Iriez-vous mettre le Chevalier sur le
35 même pied que moi ?

LE COMTE. Mais enfin, vous-même, n'avez-vous pas vu

Mirandoline assise à sa table ? En a-t-elle jamais usé de la sorte avec nous ? Pour lui, c'est le linge le plus fin. Sa table est servie avant toutes les autres. Ses repas, c'est
40 elle qui les prépare de ses propres mains. Les serviteurs voient tout, et parlent. Fabrice brûle de jalousie. Et puis cet évanouissement, qu'il soit réel ou simulé, peu importe, n'est-ce pas un signe manifeste d'amour ?

LE MARQUIS. Comment ? Pour lui on cuisine de bons
45 petits plats, et moi je n'ai droit qu'à du potage clairet et à de la vieille carne ! Oui, c'est vrai, c'est une insulte que l'on fait à mon rang, à ma condition.

LE COMTE. Et moi qui ai tant dépensé pour elle ?

LE MARQUIS. Et moi qui la comblais de présents ? Je lui
50 ai même fait goûter de mon inestimable vin de Chypre ! Le Chevalier n'aura certainement pas fait pour elle le centième de ce que nous avons fait, nous.

LE COMTE. Pensez-vous, lui aussi il lui a fait un cadeau.

LE MARQUIS. Ah oui ? Et qu'est-ce qu'il lui a donné ?

55 LE COMTE. Un flacon d'eau de mélisse en or.

LE MARQUIS, *à part.* Ciel ! *(À voix haute.)* Comment l'avez-vous su ?

LE COMTE. Son serviteur l'a dit au mien.

LE MARQUIS, *à part.* Les choses se gâtent : voilà main-
60 tenant que je vais avoir une affaire sur les bras avec le Chevalier.

LE COMTE. Cette femme n'est qu'une ingrate. Je suis résolu à la laisser sans retour. Je vais quitter sur-le-champ cette indigne auberge.

65 LE MARQUIS. Oui, vous avez raison, partez.

LE COMTE. Mais vous, qui êtes un gentilhomme de si noble maison, vous devriez partir en même temps que moi.

LE MARQUIS. Mais... pour aller où ?

70 LE COMTE. Je vous trouverai un logement, laissez-moi faire.

LE MARQUIS. Ce logement... ce serait quoi... par exemple ?

LE COMTE. Nous irions chez un de mes compatriotes.
75 Cela ne nous coûtera rien.

LE MARQUIS. Suffit ! Vous êtes pour moi un tel ami que je ne peux rien vous refuser !

LE COMTE. Partons, et vengeons-nous de cette perfide créature.

80 LE MARQUIS. Oui, partons. *(À part.)* Mais...et le flacon ? Je suis gentilhomme. Je ne peux commettre une indélicatesse.

LE COMTE. N'hésitez pas, monsieur le Marquis, partez avec moi. Faites-moi ce plaisir ; ensuite, vous pourrez
85 me demander ce que vous voudrez, je serai tout à votre service.

LE MARQUIS. Je vais vous dire... mais que cela reste entre nous, surtout... mon intendant n'est pas toujours très ponctuel...

90 LE COMTE. Vous devez peut-être quelque chose à Mirandoline ?

LE MARQUIS. Oui, douze sequins.

LE COMTE. Douze sequins ! Cela doit faire des mois que vous ne payez pas !

95 LE MARQUIS. C'est ainsi : je ne puis partir d'ici sans la payer. Si vous aviez l'obligeance...

LE COMTE. Volontiers. Tenez, voici douze sequins.

LE MARQUIS. Attendez, maintenant que je me rappelle, c'est treize sequins.... *(À part.)* Je veux aussi rendre le
100 sequin que j'ai emprunté au Chevalier.

LE COMTE. Douze ou treize, pour moi, c'est pareil. Tenez.

LE MARQUIS. Je vous les rendrai dès que possible.

LE COMTE. Comme il vous plaira. Ce n'est pas l'argent
105 qui me manque et, pour me venger de cette femme, je serais prêt à dépenser mille doublons[1] !

LE MARQUIS. Oui, c'est vraiment une ingrate. Dire que

1. *doublons* : ancienne monnaie d'or.

j'ai tant dépensé pour elle, et voilà comme elle me traite !

110 LE COMTE. Je veux causer la ruine de son auberge : j'ai déjà fait partir les deux comédiennes.

LE MARQUIS. Les comédiennes ? Où est-ce qu'il y avait des comédiennes ?

LE COMTE. Ici, voyons : Hortense et Déjanire.

115 LE MARQUIS. Comment ? Ce n'étaient pas des femmes de qualité ?

LE COMTE. Non, ce sont deux actrices : leurs camarades sont arrivés et la comédie• est terminée.

LE MARQUIS, *à part*. Mon flacon. *(Haut.)* Où sont-elles

120 logées ?

LE COMTE. Dans une maison tout à côté du théâtre.

LE MARQUIS, *à part*. Je cours me faire rendre mon flacon.

(Il sort.)

LE COMTE. C'est ainsi que je veux me venger de cette

125 femme. Quant au Chevalier, qui a su feindre pour me trahir, il va devoir me rendre raison d'une autre manière.

(Il sort.)

Questions

Compréhension

1. *D'après les répliques du Comte, essayez de caractériser l'idée qu'il se fait des femmes. Cette idée vous semble-t-elle conforme au personnage ?*

2. *Quelle est la raison qui décide le Marquis à se rallier au Comte ?*

3. *La conscience de son rang crée au Marquis des obligations. Analysez chez lui le mélange de délicatesse et d'indélicatesse.*

4. *En fonction de ce que l'on sait du personnage, faut-il prendre les menaces du Comte à la légère ?*

Écriture

5. *Recherchez un parallélisme entre une réplique du Comte et une réplique du Marquis que vous citerez. Quel est l'effet produit ?*

6. *Qu'est-ce qui rend particulièrement savoureux l'emploi du possessif dans la réplique du Marquis, scène 12 :* « Mon flacon ! » *(l. 118).*

7. *Analysez l'emploi des marques de personnes dans ces trois répliques du Marquis, scène 12 :*
– « ... ce que nous avons fait, nous. » *(l. 52)*
– « Vous avez raison, partez » *(l. 64)*
– « Oui partons » *(l. 79)*

Mise en scène

8. *Pour chacun des apartés• du Marquis, imaginez les jeux de scène que vous indiqueriez à l'acteur qui joue le rôle.*

SCÈNE 13. MIRANDOLINE, *seule*

(Une pièce avec trois portes.)

MIRANDOLINE. Oh, Seigneur, me voilà dans de beaux draps, maintenant ! Si le Chevalier réussit à me trouver, gare à moi. On dirait qu'il est devenu enragé. Pourvu que le diable ne lui souffle pas l'idée de venir jusqu'ici.
5 Je vais fermer cette porte à clé. *(Elle ferme la porte par laquelle elle est entrée.)* Je commence presque à regretter de m'être engagée dans cette aventure. Il est vrai que je me suis bien amusée à voir cet orgueilleux, cet ennemi juré des femmes, me courir après comme il l'a fait. Mais
10 maintenant que le sauvage est déchaîné, ma réputation, ma vie peut-être, sont en danger. Il va falloir prendre une grande résolution. Je suis seule, je n'ai personne à qui je puisse confier le soin de me défendre. Il n'y aurait que ce brave homme de Fabrice qui pourrait m'être utile
15 en ces circonstances. Je vais lui promettre de l'épouser... Mais je l'ai déjà fait si souvent... Il va finir par ne plus me croire. Il vaudrait peut-être mieux l'épouser pour de bon. Finalement, avec un mariage de ce genre, je peux espérer mettre à couvert mes intérêts et ma réputation
20 sans porter atteinte à ma liberté.

SCÈNE 14. LE CHEVALIER, *derrière la porte,* MIRANDOLINE ; *puis* FABRICE. *Le Chevalier frappe à la porte.*

MIRANDOLINE. On frappe. Qui cela peut-il être ?
(Elle s'approche de la porte.)

LE CHEVALIER, *derrière la porte.* Mirandoline.

MIRANDOLINE, *à part.* Voilà l'ami.

LE CHEVALIER. Mirandoline, ouvrez-moi.

5 MIRANDOLINE, *à part.* Lui ouvrir ? Je ne suis pas si bête. *(À voix haute.)* Que désirez-vous, monsieur le Chevalier ?

LE CHEVALIER. Ouvrez-moi.

MIRANDOLINE. Ayez l'obligeance d'aller dans votre chambre, et attendez-moi. Je viens immédiatement.

10 LE CHEVALIER. Pourquoi ne voulez-vous pas m'ouvrir ?

MIRANDOLINE. J'ai des clients qui arrivent. Faites-moi cette grâce, allez, je viens immédiatement.

LE CHEVALIER. J'y vais. Si vous ne venez pas, malheur à vous !

(Il s'en va.)

15 MIRANDOLINE. Si vous ne venez pas, malheur à vous ! Malheur à moi, si j'y allais. Décidément les choses vont de mal en pis. Tâchons d'y porter remède, si possible. Est-ce qu'il est parti ? *(Elle regarde par le trou de la serrure.)* Oui, oui, il est parti. Il m'attend dans sa chambre,
20 mais je ne suis pas près d'y aller. *(Elle appelle à une autre porte.)* Hé, Fabrice ! Ce qui serait beau, maintenant, c'est que Fabrice veuille se venger de moi et qu'il refuse... Oh, il n'y a pas de danger, je connais la chanson ; avec quelques petites cajoleries je sais comment venir à bout des
25 plus récalcitrants, fussent-ils de marbre ! *(Elle appelle à nouveau.)* Fabrice !

FABRICE. Vous m'avez appelé ?

MIRANDOLINE. Venez ici : je veux vous faire une confidence.

30 FABRICE. Je vous écoute.

MIRANDOLINE. Sachez que le Chevalier de Ripafratta est tombé amoureux de moi.

FABRICE. Eh, je m'en étais déjà aperçu.

MIRANDOLINE. Ah, vous vous en étiez aperçu ? Fran-
35 chement, moi, je ne me doutais de rien.

FABRICE. Pauvre innocente ! Vous ne vous doutiez de rien ? Vous n'avez pas vu, pendant que vous repassiez, toutes les grimaces qu'il vous faisait ? Comme il était jaloux de moi ?

40 MIRANDOLINE. Comme j'agis sans malice, je prends les choses comme elles viennent, sans penser à mal. Mais enfin il vient de me dire certaines choses, Fabrice, qui à la vérité m'ont fait rougir.

FABRICE. Vous voyez ? Voilà ce que c'est que d'être une

45 jeune femme seule, sans père ni mère, sans personne. Si vous étiez mariée, ces choses-là n'arriveraient pas.

MIRANDOLINE. Oui, c'est vrai, je vois que vous avez raison. Je songe sérieusement à me marier.

FABRICE. Souvenez-vous de ce qu'a dit votre père.

50 MIRANDOLINE. Oui, je m'en souviens.

SCÈNE 15. LES MÊMES, LE CHEVALIER, *derrière la porte. Le Chevalier frappe à la même porte que précédemment.*

MIRANDOLINE, *à Fabrice.* On frappe.

FABRICE, *d'une voix forte, en direction de la porte.* Qui est là ?

LE CHEVALIER, *derrière la porte.* Ouvrez-moi.

5 MIRANDOLINE, *à Fabrice.* Le Chevalier.

FABRICE, *se dirigeant vers la porte pour l'ouvrir.* Que voulez-vous, monsieur ?

MIRANDOLINE. Attendez que je sois partie.

FABRICE. Que craignez-vous ?

10 MIRANDOLINE. Cher Fabrice, je ne sais pas, je crains pour mon honneur.

(Elle sort.)

FABRICE. N'ayez pas peur, je vous défendrai.

LE CHEVALIER, *derrière la porte.* Ouvrez immédiatement.

15 FABRICE. Que voulez-vous, monsieur ? Que signifie ce vacarme ? Ce n'est pas ainsi qu'on se conduit dans une maison honorable.

LE CHEVALIER. Ouvre cette porte, bon sang !

(Il essaie de la forcer.)

FABRICE. Par tous les diables ! Je ne voudrais pas que ça
20 tourne mal. Il n'y a personne ? Holà, quelqu'un !

SCÈNE 16. LES MÊMES, LE COMTE, *et* LE MARQUIS *entrant par la porte du milieu*

LE COMTE, *sur le seuil de la porte.* Que se passe-t-il ?

LE MARQUIS, *sur le seuil de la porte.* Que veut dire tout ce bruit ?

FABRICE, *à voix basse, pour que le Chevalier n'entende pas.* S'il vous plaît, messieurs. Monsieur le Chevalier de Ripafratta veut enfoncer cette porte.

5 LE CHEVALIER, *derrière la porte.* Ouvre-moi, ou je défonce la porte.

LE MARQUIS. Est-ce qu'il ne serait pas devenu fou, par hasard ? Allons-nous-en.

LE COMTE, *à Fabrice.* Ouvrez-lui. J'avais justement à
10 lui parler.

FABRICE. Je vais lui ouvrir, mais je vous en conjure, messieurs...

LE COMTE. Ne craignez rien, nous sommes là.

LE MARQUIS, *à part.* À la moindre alerte, je décampe
15 immédiatement.
(Fabrice ouvre la porte, et le Chevalier se précipite à l'intérieur.)

LE CHEVALIER. Par le Ciel, où est-elle ?

FABRICE. Qui cherchez-vous, monsieur ?

LE CHEVALIER. Mirandoline, où est-elle ?

FABRICE. Je ne sais pas.

20 LE MARQUIS, *à part.* Tout va bien : c'est à Mirandoline qu'il en a.

LE CHEVALIER. La scélérate, je saurai bien la trouver. *(Il s'avance un peu plus et découvre le Marquis et le Comte.)*

LE COMTE. À qui en avez-vous ?

25 LE MARQUIS. Chevalier, nous sommes amis.

LE CHEVALIER, *à part.* Mon Dieu ! Pour tout l'or du

monde, je ne voudrais pas que l'on découvre ma faiblesse !

FABRICE. Que voulez-vous de la patronne, monsieur ?

LE CHEVALIER. Toi, tais-toi : je n'ai pas de comptes à te rendre. Quand je commande, je veux être obéi. Je paie pour être servi et, morbleu, elle aura affaire à moi.

FABRICE. Votre Seigneurie paie pour être servie dans tout ce qui est licite et convenable, mais, que Votre Seigneurie me pardonne, elle ne peut prétendre qu'une femme honnête...

LE CHEVALIER. Qu'est-ce que tu racontes ? Qu'est-ce que tu en sais, toi ? De quoi te mêles-tu ? Ce que j'ai demandé à cette femme ne te regarde pas.

FABRICE. Vous lui avez demandé de venir dans votre chambre.

LE CHEVALIER. Va-t'en, maraud, ou je te brise le crâne.

FABRICE. Que dites-vous là, monsieur ?

LE MARQUIS, *à Fabrice.* Tais-toi.

LE COMTE, *à Fabrice.* Allez-vous-en.

LE CHEVALIER. Va-t'en.

FABRICE, *s'échauffant.* Il me semble, monsieur...

LE COMTE ET LE MARQUIS, *le chassant.* Allez, allez.

FABRICE, *à part.* Bon Dieu, si je ne me retenais pas... *(Il sort.)*

Questions

Compréhension

1. *La violence de la réaction du Chevalier était-elle prévisible ? Justifiez votre réponse.*

2. *Qu'apprend-on de nouveau dans la scène 13 à propos des rapports entre Mirandoline et Fabrice ? Quelle idée Mirandoline se fait-elle du mariage ?*

3. *Comment justifier le retour sur scène du Chevalier ?*

4. *Analysez la transformation du personnage de Fabrice. Était-elle prévisible ? Est-elle complète ? Quel est le rôle de la condition sociale des personnages à la fin de la scène 16 ?*

Écriture

5. *Quel est l'effet recherché par la brièveté des répliques, à la fin de la scène 16 ? Repérez d'autres scènes qui se terminent de la même manière.*

Mise en scène

6. *Notez le changement de décor. Pourquoi Goldoni a-t-il prévu trois portes ?*

7. *Analysez la progression de la violence dans les scènes 14, 15, 16. Quelle est la fonction du rôle du Marquis ?*

8. *Exercez-vous à jouer l'entrée en scène du Chevalier (scène 15). Est-il nécessaire de placer le Comte et le Marquis en retrait pour que le Chevalier les découvre quelques secondes après son entrée ?*

SCÈNE 17. Le Chevalier, Le Marquis, Le Comte

Le Chevalier, *à part.* L'indigne ! Me faire attendre dans ma chambre !

Le Marquis, *à voix basse, au Comte.* Mais qu'est-ce qu'il a ?

5 Le Comte. Vous ne voyez pas ? Il est amoureux.

Le Chevalier, *à part.* Et elle s'enferme avec Fabrice ! Et elle parle de mariage avec lui !

Le Comte, *à part.* Voici venu le moment de me venger. *(Au Chevalier.)* Monsieur le Chevalier, il ne sied pas
10 de se moquer des faiblesses d'autrui, quand on a un cœur aussi fragile que le vôtre.

Le Chevalier. Que voulez-vous dire ?

Le Comte. Je sais ce qui cause toutes vos fureurs.

Le Chevalier, *au Marquis, avec colère.* Mais de quoi
15 parle-t-il ?

Le Marquis. Ami, je ne sais rien.

Le Comte. C'est de vous que je parle, de vous qui, sous le prétexte de ne pas souffrir les femmes, avez tenté de me ravir le cœur de Mirandoline, qui était déjà ma
20 conquête.

Le Chevalier, *au Marquis, avec colère.* Moi ?

Le Marquis. Mais je n'ai rien dit.

Le Comte. Regardez-moi : c'est à moi qu'il faut répondre. Vous avez peut-être honte de vous être si mal
25 conduit ?

Le Chevalier. J'ai honte de vous écouter un seul instant de plus sans vous dire que vous mentez.

Le Comte. Je mens, moi ?

Le Marquis, *à part.* Les choses se gâtent.

30 Le Chevalier. Mais qu'est-ce qui vous permet de dire... *(Au Marquis, avec fureur.)* Le Comte ne sait ce qu'il dit.

LE MARQUIS. Mais je ne veux pas me mêler de cette histoire, moi !

35 LE COMTE. C'est vous qui mentez.

LE MARQUIS. Je m'en vais.

(Il veut s'en aller.)

LE CHEVALIER, *le retenant de force.* Restez.

LE COMTE. Et vous allez me rendre raison...

LE CHEVALIER. Oui, je vais vous rendre raison... *(Au*
40 *Marquis.)* Donnez-moi votre épée.

LE MARQUIS. Allons, calmez-vous tous les deux. Mon cher Comte, qu'est-ce que cela peut bien vous faire que le Chevalier aime Mirandoline ?

LE CHEVALIER. Que je l'aime ? C'est faux ! Qui dit cela
45 est un menteur !

LE MARQUIS. Un menteur ? Pas moi, en tout cas. Moi je ne le dis pas.

LE CHEVALIER. Et qui le dit alors ?

LE COMTE. Moi, je le dis, et je le répète, et je n'ai pas
50 peur de vous !

LE CHEVALIER, *au Marquis.* Donnez-moi cette épée.

LE MARQUIS. Non, vous dis-je.

LE CHEVALIER. Vous aussi, vous êtes mon ennemi ?

LE MARQUIS. Non, non, moi je suis l'ami de tout le
55 monde.

LE COMTE. Ce sont là des actions indignes !

LE CHEVALIER. Par le ciel !
(Il saisit l'épée du Marquis, laquelle vient avec le fourreau.)

LE MARQUIS, *au Chevalier.* Ne me manquez pas de respect.

60 LE CHEVALIER. Si vous vous considérez comme offensé, vous aussi, je suis prêt à vous donner toutes les satisfactions que vous voudrez.

LE MARQUIS. Allons, vous êtes trop bouillant. *(À part, l'air contrarié.)* C'est bien dommage...

65 LE COMTE. Je veux que vous me rendiez raison.

(Il se met en garde.)

LE CHEVALIER. Tout de suite.

(Il essaie de sortir l'épée du fourreau, mais n'y parvient pas.)

LE MARQUIS. Cette épée ne vous connaît pas...

LE CHEVALIER, *tirant de toutes ses forces.* Ah, maudite épée !

70 LE MARQUIS. Chevalier, vous n'y arriverez pas...

LE COMTE. Ma patience est à bout.

LE CHEVALIER. Enfin ! *(Il tire l'épée et voit qu'il n'y a qu'un bout de lame.)* Qu'est-ce que c'est que ça ?

LE MARQUIS. Vous avez cassé mon épée.

75 LE CHEVALIER. Mais où est le reste ? Dans le fourreau il n'y a rien.

LE MARQUIS. Ah, oui, c'est vrai, j'avais oublié : je l'ai brisée dans mon dernier duel.

LE CHEVALIER, *au Comte.* Donnez-moi le temps de me
80 pourvoir d'une épée.

LE COMTE. Le ciel m'est témoin, vous ne m'échapperez pas.

LE CHEVALIER. Vous échapper ? J'ai assez de cœur pour vous affronter même avec ce bout de lame.

85 LE MARQUIS. C'est une lame d'Espagne[1], elle n'a peur de rien.

LE COMTE. Moins de vantardise, monsieur le bravache.

LE CHEVALIER. Oui, même avec ce bout de lame.

(Il se jette sur le Comte.)

LE COMTE, *se mettant en garde.* Arrière !

---

1. *une lame d'Espagne* : l'acier de Tolède était célèbre pour sa qualité.

SCÈNE 18. Les mêmes, Mirandoline, Fabrice

Fabrice. Messieurs, messieurs, arrêtez, je vous en supplie.

Mirandoline. Arrêtez, messieurs.

Le Chevalier, *apercevant Mirandoline.* Ah, maudite !

5 Mirandoline. Mon Dieu, l'épée à la main !

Le Marquis. Voyez : tout cela à cause de vous.

Mirandoline. Comment, à cause de moi ?

Le Comte. Eh oui ! Monsieur le Chevalier est amoureux de vous.

10 Le Chevalier. Moi, amoureux ? Ce n'est pas vrai, vous mentez.

Mirandoline. Monsieur le Chevalier amoureux de moi ? Oh non, monsieur le Comte, vous vous trompez, je vous l'assure, vous vous trompez complètement.

15 Le Comte. Eh, vous êtes d'accord, tous les deux...

Le Marquis. On le sait, on le voit...

Le Chevalier, *furieux, au Marquis.* Qu'est-ce qu'on sait ? Qu'est-ce qu'on voit ?

Le Marquis. Je veux dire... que quand cela est... on le
20 voit... quand cela n'est pas... on ne le voit pas...

Mirandoline. Monsieur le Chevalier amoureux de moi ? Il le nie et, le niant en ma présence, il me mortifie, il m'humilie, il me fait connaître sa constance et mon peu de pouvoir. Je dois avouer la vérité : si j'avais réussi
25 à le rendre amoureux de moi, j'aurais cru accomplir l'exploit le plus extraordinaire du monde. Un homme qui ne peut voir les femmes, qui les méprise, qui pense d'elles des choses abominables... comment croire qu'on pourrait le séduire ? Messieurs, je suis une femme sincère.
30 Quand il faut parler, je parle, et je n'essaie pas de dissimuler la vérité : c'est vrai, j'ai essayé de rendre monsieur le Chevalier amoureux de moi, mais je ne suis arrivée à rien. *(Au Chevalier.)* N'est-ce pas, monsieur ? J'ai eu beau faire, j'ai eu beau faire, je ne suis arrivée à rien.

35 Le Chevalier, *à part.* Ah, je ne peux rien dire.

LE COMTE, *à Mirandoline.* Regardez-le. La confusion se lit sur son visage.

LE MARQUIS. Il n'a pas le courage de nier.

LE CHEVALIER, *au Marquis, avec fureur.* Vous ne savez
40 ce que vous dites.

LE MARQUIS, *au Chevalier, avec douceur.* Et c'est toujours à moi que vous vous en prenez !

MIRANDOLINE. Oh, monsieur le Chevalier ne tombe pas amoureux. Il connaît les femmes et toutes leurs
45 ruses. Il sait combien elles sont fourbes et menteuses. Aux paroles, il n'y croit pas. Des larmes, il s'en méfie. Quant aux évanouissements, il ne fait qu'en rire.

LE CHEVALIER. Elles sont donc feintes, les larmes des femmes, ils sont donc mensongers, leurs évanouisse-
50 ments ?

MIRANDOLINE. Comment ? Ne le savez-vous pas, ou feignez-vous de ne pas le savoir ?

LE CHEVALIER. Grand Dieu ! Une telle tromperie mériterait un coup de poignard dans le cœur !

55 MIRANDOLINE. Monsieur le Chevalier, ne vous échauffez pas, sinon ces messieurs vont croire que vous êtes réellement amoureux.

LE COMTE. Oui, il l'est, il ne peut le cacher.

LE MARQUIS. On le voit dans ses yeux.

60 LE CHEVALIER, *au Marquis, avec rage.* Non, je ne suis pas amoureux.

LE MARQUIS. Et c'est toujours à moi qu'il en a !

MIRANDOLINE. Non, messieurs, il n'est pas amoureux. Je le dis, je l'affirme, et je suis prête à vous le prouver.

65 LE CHEVALIER, *à part.* Je n'en puis plus. *(Au Comte.)* Comte, à un autre moment vous me trouverez pourvu d'une épée.

(Il jette à terre le tronçon de lame du Marquis.)

LE MARQUIS. Hé là, la garde[1] coûte cher !

---

1. *la garde* : sur une épée, protection située entre la lame et la poignée.

(Il ramasse l'épée.)

MIRANDOLINE. Attendez, monsieur le Chevalier, ne
70 partez pas, votre réputation est en jeu. Ces messieurs croient que vous êtes amoureux : il faut les détromper.

LE CHEVALIER. C'est inutile.

MIRANDOLINE. Oh, si, monsieur, attendez un instant.

LE CHEVALIER, *à part.* Que veut-elle faire ?

75 MIRANDOLINE. Messieurs, le signe le plus assuré de l'amour est sans nul doute la jalousie, et quelqu'un qui ne ressent pas de jalousie ne peut être dit amoureux. Si monsieur le Chevalier m'aimait, il ne pourrait souffrir que je sois à un autre, mais il le souffrira, et vous ver-
80 rez...

FABRICE. À qui voulez-vous être ?

MIRANDOLINE. À celui à qui mon père m'avait destinée.

FABRICE, *à Mirandoline.* C'est de moi que vous parlez ?

MIRANDOLINE. Oui, mon cher Fabrice, c'est à vous
85 qu'en présence de ces gentilshommes je veux donner ma main.

LE CHEVALIER, *à part.* À cet homme ? Je n'ai pas le cœur de le souffrir !

LE COMTE, *à part.* Si elle épouse Fabrice, c'est qu'elle
90 n'aime pas le Chevalier. *(À Mirandoline.)* Oui, mariez-vous, et je vous promets trois cents écus.

LE MARQUIS. Mirandoline, mieux vaut un œuf aujourd'hui qu'une poule demain. Mariez-vous et je vous donne tout de suite douze sequins.

95 MIRANDOLINE. Merci, messieurs, merci. Je n'ai pas besoin de dot. Je ne suis qu'une pauvre femme, sans grâce, sans talent, incapable de séduire des personnes de mérite. Mais Fabrice m'aime, et je vais sous vos yeux le prendre pour époux...

100 LE CHEVALIER. Oui, maudite, épouse qui tu voudras. Je sais que tu m'as trompé, je sais que tu triomphes en toi-même de m'avoir humilié et je vois jusqu'où tu veux exercer ma patience. Tu mériterais que je paie tes ruses d'un coup de poignard dans le sein, tu mériterais que je
105 t'arrache le cœur pour l'offrir en exemple à toutes les

femmes trompeuses et perfides. Mais ce serait doublement m'avilir. Je fuis loin de tes yeux, je maudis tes charmes, tes larmes, tes mensonges; tu m'as fait connaître quel pouvoir funeste a ton sexe sur le nôtre, et
110 tu m'as fait apprendre à mes dépens que, pour le vaincre, il ne suffit pas de le mépriser, non, mais qu'il faut encore le fuir.

(Il sort.)

Le Chevalier tire l'épée du Marquis de son fourreau pour affronter le Comte en duel (III, 17). Gravure tirée de Opere teatrali *de Carlo Goldoni, T. 4, Antonio Zatta, 1789. Paris. B.N.*

Questions

Compréhension

1. *Recherchez toutes les formes de comique• présentes dans la scène 17.*

2. *Quelle image Goldoni donne-t-il du duel et de la noblesse ?*

3. *Le Marquis est souvent apparu comme un indésirable. Qu'y a-t-il de nouveau ici et de particulièrement piquant (scène 17) ? Essayez de faire la liste des malheurs du Marquis dans cette scène. Il est particulièrement et involontairement responsable de la fureur du Chevalier.*

4. *Scène 18 : en quoi consiste la nouvelle stratégie de Mirandoline ? Sur quels traits de caractère du Chevalier joue-t-elle ? Que représentent les hommes pour elle ?*

Écriture

5. *Étudiez l'enchaînement des répliques à partir de* « Qu'est-ce que c'est que ça ?... » *(l. 73), jusqu'à la fin de la scène 17.*

6. *Analysez le mélange des tons• dans la scène 18. Comparez le départ du Chevalier avec le départ d'Alceste dans* Le Misanthrope *de Molière.*

7. *Le dernier monologue• du Chevalier : étudiez la rhétorique du discours (syntaxe, vocabulaire, rythme). Pourrait-on l'intégrer à une pièce d'un genre tout différent ?*

Mise en scène

8. *Quels jeux de scène indiqueriez-vous pour accompagner la réplique du Chevalier, scène 17 :* « Mais où est le reste ? dans le fourreau il n'y a rien. » *(l. 75 et 76) ?*

9. *Entraînez-vous à dire le dernier monologue• du Chevalier :*
– en donnant l'image d'une noble colère,
– en donnant l'image de la souffrance.

SCÈNE 19. Mirandoline, Le Comte, Le Marquis, Fabrice

Le Comte. Qu'il ose dire maintenant qu'il n'est pas amoureux !

Le Marquis. S'il me traite encore une fois de menteur, foi de gentilhomme, je le provoque en duel !

5 Mirandoline. Chut, messieurs, chut. Il est parti, et s'il ne revient pas, si l'affaire se termine ainsi, je pourrai m'estimer heureuse. Il n'est que trop vrai, hélas, que j'ai réussi à rendre ce pauvre homme amoureux de moi, et je me suis exposée à un grand danger. Je ne veux plus en 10 entendre parler. Fabrice, viens ici, mon ami, donne-moi la main.

Fabrice. Doucement, madame ! Ainsi, vous vous amusez à rendre les gens amoureux de vous, et vous croyez que je vais vous épouser ?

15 Mirandoline. Allons donc, grand sot ! ce n'était qu'une plaisanterie, qu'un jeu, un simple caprice d'amour-propre ; j'étais seule, je n'avais personne pour me diriger. Quand je serai mariée, je sais ce que je ferai.

Fabrice. Et que ferez-vous ?

SCÈNE 20. Les mêmes, Le serviteur du Chevalier

Le serviteur. Madame la patronne, je suis venu vous saluer avant de partir.

Mirandoline. Vous partez ?

Le serviteur. Oui, mon maître est allé à la poste ; il 5 fait atteler, il m'attend avec les bagages et nous partons pour Livourne.

Mirandoline. Pardonnez-moi, si je ne vous ai pas...

Le serviteur. Je ne peux m'attarder davantage. Je vous remercie et je vous salue.

10 Mirandoline. Grâce au ciel, il est parti ; il me reste un

peu de remords. Assurément il n'est pas parti d'ici très satisfait. Je ne jouerai plus jamais à ce jeu-là.

LE COMTE. Mirandoline, que vous soyez mariée ou non, je serai toujours le même pour vous.

15 LE MARQUIS. Vous pourrez toujours compter sur ma protection.

MIRANDOLINE. Messieurs, maintenant que je me marie, je ne veux plus de protecteurs, je ne veux plus de soupirants, je ne veux plus de cadeaux ; jusqu'à présent, je me 20 suis divertie, et j'ai mal fait ; j'ai pris des risques, et je ne recommencerai plus jamais. Voici mon mari...

FABRICE. Doucement, madame...

MIRANDOLINE. Doucement ? Qu'est-ce qu'il y a encore ? Quelles difficultés vas-tu chercher ? Allons, 25 donne-moi ta main.

FABRICE. Je voudrais que d'abord nous fassions un pacte.

MIRANDOLINE. Quel pacte ? Le pacte, le voici : ou tu m'épouses ou tu t'en retournes chez toi.

30 FABRICE. Je veux bien vous épouser, mais après...

MIRANDOLINE. Mais après, mon cher Fabrice, je serai toute à toi ; sois tranquille, je t'aimerai toujours, tu seras toute mon âme.

FABRICE. Tenez, chère Mirandoline, je n'y résiste plus. *(Il lui donne la main.)*

35 MIRANDOLINE, *à part.* Voilà encore une affaire de réglée.

LE COMTE. Mirandoline, vous êtes une femme de grand talent : vous savez mener les hommes où vous le voulez.

40 LE MARQUIS. Il est vrai que vos manières obligent infiniment.

MIRANDOLINE. S'il est vrai que je peux tout espérer de la faveur de ces messieurs, j'oserai leur demander une dernière grâce.

45 LE COMTE. Dites.

LE MARQUIS. Parlez.

FABRICE, *à part.* Que va-t-elle encore demander?

MIRANDOLINE. Je vous prie d'avoir la bonté de chercher une autre auberge.

50 FABRICE, *à part.* Bravo; maintenant je vois qu'elle m'aime.

LE COMTE. Oui, je vous comprends et je vous approuve; je vais m'en aller, mais où que j'aille, soyez assurée de conserver toute mon estime.

55 LE MARQUIS. Dites-moi, n'aviez-vous pas perdu un petit flacon en or?

MIRANDOLINE. Oui, monsieur.

LE MARQUIS. Tenez, le voici; je l'ai retrouvé et je vous le rends. Je partirai pour vous complaire, mais où que je
60 sois, comptez sur ma protection.

MIRANDOLINE. De telles offres me seront chères, dans les limites des convenances et de l'honnêteté. En changeant d'état, je veux changer de manière de vivre. Et vous, messieurs, tirez profit de ce que vous avez vu pour
65 le bénéfice et la sécurité de votre cœur. Et si vous vous trouviez jamais dans le cas de devoir craindre pour votre repos, de devoir céder, de devoir succomber, pensez aux malices que l'on vous a apprises et souvenez-vous de la Locandiera•.

Questions

Compréhension

1. *En quoi les dernières répliques du Comte et du Marquis sont-elles comme la «signature» des personnages ?*

2. *La prudence de Fabrice est-elle légitime ? quel jugement d'ensemble portez-vous maintenant sur ce personnage ?*

3. *Le portrait de Mirandoline reçoit une touche finale ; laquelle ? pourquoi a-t-elle semblé nécessaire à Goldoni ?*

4. *Comment imaginez-vous l'avenir de Fabrice et de Mirandoline ?*

5. *La leçon de Mirandoline est-elle contradictoire avec celle qui se dégage du dernier monologue• du Chevalier ?*

Écriture

6. *Cherchez les sens de* «convenances» *et d'*«honnêteté» *(scène 20). Montrez l'opposition entre la morale aristocratique et la morale bourgeoise.*

7. *Étudiez le vouvoiement et tutoiement entre Fabrice et Mirandoline.*

8. «Et vous, messieurs...» *(l. 63 et 64) : à qui Mirandoline s'adresse-t-elle ?*

9. *Quelle est la tonalité générale des deux dernières scènes ?*

Mise en scène

10. *Quelle position indiquer à l'actrice qui joue Mirandoline, pour la fin de la dernière réplique ?*

11. *Analysez, du point de vue du mouvement des personnages, l'opposition entre les scènes 17 et 18 d'une part, 19 et 20 d'autre part. Qu'en déduisez-vous ?*

Bilan

L'action

« Je ne savais presque plus quoi faire dans le 3e [acte]**... »**, *Goldoni*, Avertissement au lecteur.

Lorsqu'on fait la somme des événements qui se sont succédé pendant les vingt-quatre heures qu'a duré l'action, on se rend compte que le bilan est assez mince : c'est que tout se passe dans le cœur du Chevalier : l'action est rythmée par une succession d'émotions de plus en plus difficiles à maîtriser et qui jalonnent un parcours intérieur. Ce parcours a-t-il la forme d'une boucle ? On pourrait le penser : le Chevalier est ramené à son point de départ, la haine des femmes. On peut cependant observer que si, au début de la pièce, les causes de sa misogynie nous sont inconnues, elles sont devenues évidentes à la fin ; mais après tout, rien ne dit qu'un jour à venir le Chevalier ne tombera pas de nouveau dans les filets d'une habile séductrice.

Du point de vue de Mirandoline, cette aventure ne représente qu'un intermède dans une existence qui va reprendre son cours normal ; elle va épouser Fabrice, comme cela était prévu de longue date, et l'on peut supposer qu'elle va continuer de mener son auberge avec la même autorité. Elle retrouve en quelque sorte son état antérieur, comme le Chevalier lui-même va retrouver les plaisirs de l'amitié virile et de la chasse. Ainsi, la fonction de l'acte III est moins de présenter un dénouement• qu'un achèvement de l'entreprise réalisée par Mirandoline.

Comment, dès lors, mettre en scène l'évolution psychologique d'un personnage ? D'abord en lui donnant un caractère emporté, de telle sorte que les émotions, non seulement trouvent une traduction en actes, mais passent la rampe ; de ce point de vue, le Chevalier ne peut décevoir le public. Ensuite, en donnant aux occupations de la vie quotidienne (repas, repassage...) et aux objets qui circulent dans la pièce (cadeaux divers, flacon, fers à repasser) une fonction de représentation de la réalité domestique qui est à la fois le décor de la comédie• bourgeoise et un moyen de scander le déroulement de cette aventure intérieure.

Les personnages

• **Le Chevalier :** *il a déjà rendu les armes ; il vient implorer la pitié de son vainqueur et connaît donc les affres de l'humiliation. Jusqu'au bout Goldoni joue sur le double registre du pathétique et du comique• : le public souffre et s'indigne de le voir à la torture, sourit de ses emportements, rit de ses démêlés avec le Marquis,* *s'esclaffe franchement dans la scène du duel, et retrouve son sérieux, aux accents de noblesse outragée perceptibles dans son dernier monologue*. Goldoni s'est d'ailleurs interrogé sur la vraisemblance de son personnage : comment rendre crédible l'idée qu'une telle métamorphose n'ait pris que vingt-quatre heures ? Il trouve la réponse dans l'accueil du public :* « On m'a fait croire que je n'avais rien fait de plus naturel et de mieux conduit. » (Mémoires, *Éditions du Mercure de France, p. 243).*

• À propos de **Mirandoline,** *Goldoni parle de* « cruauté barbare », *et c'est bien l'expression qui vient à l'esprit du spectateur après la scène du repassage. Mais il ne fallait pas que cette image fût la dernière, aussi Goldoni s'est-il efforcé d'en corriger les excès. La maîtresse-femme paraît plus vulnérable et plus humaine, elle* « commence presque à regretter de s'être engagée dans cette aventure » *et, plus tard, elle reconnaît qu'elle a* « mal fait » *et promet qu'elle ne* « recommencera plus jamais ». *Toutefois, la calculatrice ne disparaît pas et certains propos, tenus au sujet de Fabrice* (« Je sais comment venir à bout des récalcitrants, fussent-ils de marbre »), *la façon dont elle utilise son serviteur-époux, et dont elle lui met en quelque sorte le marché en main au moment même où il tente d'affirmer son autorité* « Ou tu m'épouses ou tu t'en retournes chez toi » *ne laissent pas d'être troublants et donnent au personnage une complexité que l'on n'attendait peut-être pas. Sans doute fallait-il que la belle Mirandoline devienne, l'espace d'un moment et pour l'édification du public, une Déjanire et une Hortense, ou, tout simplement, la « barbare Locandiera* ».*

• **Le Marquis** *est sans conteste un des personnages comiques* les plus réussis de Goldoni : apparaissant le plus souvent à contretemps, brouillant les cartes sans le vouloir, aussi couard que vaniteux, il devient momentanément la victime de la fureur du Chevalier, dans la querelle qui oppose violemment ce dernier au Comte ; il est tout proche à cet instant du clown innocent qui prend les gifles à la place du coupable. C'est bien à lui qu'est dévolue la tâche de faire rire le public, avec parfois des mots qui passent la rampe, comme le fameux* « Mon flacon ! ».

• *Le portrait du* **Comte** *reçoit quelques touches supplémentaires : on le savait d'une franchise confinant à la brutalité, pouvant aller jusqu'au cynisme, on le voit ici jaloux du Chevalier et tenant parole à propos du cadeau de mariage offert à Mirandoline. Pure générosité ? Mais il y va aussi de son rang, qui lui interdit d'être le rival d'un Fabrice ; plaisir d'humilier une dernière fois cet imbécile de Marquis ? Mais il lui propose l'hospitalité.*

• *Quant à* **Fabrice,** *il apparaît dans ce dernier acte comme l'instrument de la vengeance de Mirandoline, mais on peut imaginer que l'ascension sociale dont il va bénéficier à la suite de son mariage lui donnera au moins l'autorité que Mirandoline voudra bien lui concéder.*

L'écriture

La différence de ton• est donnée par la première réplique de Mirandoline : « Bon, la récréation est terminée ». *Le masque• de l'amour est tombé : pour traduire la douleur et la colère du Chevalier berné, mais aussi la peur de Mirandoline, l'écriture emprunte momentanément le ton• du drame•, qui culmine dans la dernière réplique de l'amoureux dépité. Mais Goldoni prend soin de varier le ton• de l'acte III en laissant une large place au rire : le Marquis est ridicule à trois reprises. Le Chevalier lui-même provoque le rire par des outrances dignes d'un Matamore. La toute dernière scène nous fait retrouver le ton• plus serein de la comédie• bourgeoise et l'image d'une société où les* « convenances » *et* « l'honnêteté » *ont plus de poids que l'*« estime » *et la* « protection ».

L'Italie au XVIIIᵉ siècle. Carte de d'Anville, 1743.

Florence XVIII*e siècle. Gravure.*

Venise XVIIIe siècle. Gravure d'après Canaletto.

Portrait de Goldoni. Gravure d'après un dessin de Lazzaretti.

Goldoni jouant la comédie, dans le jardin Scotto à Pise.

DATES	ÉVÉNEMENTS HISTORIQUES	ÉVÉNEMENTS CULTURELS
1707		
1712		
1715	Mort de Louis XIV. Régence.	
1716		*Water Music* de Haendel.
1718	Venise perd la Morée. Fin de la politique conquérante.	
1719		
1720	La Savoie obtient la Sardaigne en échange de la Sicile. Effondrement du système de Law.	*L'Enseigne de Gersaint* de Watteau.
1721	Peste à Marseille.	*Lettres persanes* de Montesquieu. *Six concertos brandebourgeois* de Bach.
1722		*Moll Flanders* de Daniel Defoe. *La Surprise de l'amour* de Marivaux.
1725	Gênes réprime sévèrement les révoltes corses.	*L'Île des esclaves* de Marivaux. *Les quatre saisons* de Vivaldi.
1731		*Œuvres pour clavecin* de Scarlatti. Peintures de Tiepolo et Canaletto.
1733	Guerre de succession de Pologne.	*La Servante Maîtresse* de Pergolèse.
1734		*Lettres philosophiques* de Voltaire.
1735	Venise déclarée port-franc.	*Le Déjeuner sur l'herbe* de Lancret.
1736		
1738-39	Traité de Vienne : le royaume des Deux-Siciles, dominé par l'Autriche, passe à Don Carlos.	
1740	Frédéric II, roi de Prusse.	*Pamela* de Richardson.
1741	Guerre de succession d'Autriche.	*Pièces pour clavecin* de Rameau.
1743		Portraits de La Tour. Opéras de Telemann.
1743-48	Traité d'Aix-la-Chapelle (1748).	*Clarisse Harlowe* de Richardson (1747-48).
1748-49		*Histoire naturelle* de Buffon.
1749-50		*Vues vénitiennes* de Longhi. *Tom Jones* (1749) de Fielding.
1750-51		
1751-53	Querelle des Bouffons• (1752).	*Micromégas de Voltaire* (1752).
1755	Désastre de Lisbonne.	*Le Gobelet d'argent* de Chardin.
1758	Guerre de Sept Ans (1756-63).	*Le Père de famille* de Diderot.
1760		*Vues vénitiennes* de Guardi. *Poèmes d'Ossian* de Mac Pherson.
1761		*L'Accordée de village* de Greuze.

VIE ET ŒUVRE DE GOLDONI	DATES
Naissance de Carlo Goldoni à Venise.	**1707**
Le père de Goldoni fait construire un théâtre de marionnettes.	1712
	1715
	1716
	1718
Le père de Goldoni, médecin à Pérouse, monte une comédie• dans laquelle Carlo joue le rôle d'une femme.	1719
Goldoni quitte Rimini où il étudie la philosophie, pour suivre des comédiens à Chioggia.	1720
Goldoni, clerc de notaire à Venise. Émerveillé par les théâtres de la ville.	1721
Goldoni expulsé du « Collège du Pape » de Pavie pour avoir composé une comédie• contre les femmes.	1722
	1725
Mort du père de Goldoni. Échec d'une tragédie. Vie errante dans l'Italie du Nord.	1731
Goldoni se lie avec la troupe du théâtre San Samuele à Venise. Compose des intermèdes comiques•.	1733
	1734
	1735
Mariage de Goldoni avec Nicoletta Connio à Gênes.	1736
Premières comédies•, en partie improvisées.	1738-39
	1740
	1741
La Femme avisée, 1re comédie• entièrement écrite. Obligé de quitter Venise à la suite d'une imprudence de son frère.	1743
Avocat à Pise. *Arlequin serviteur de deux maîtres* (1745). *Le Trompeur* (1747). Rencontre déterminante : Médebac, directeur du théâtre San Angelo à Venise (1747). Se consacre entièrement à son métier d'écrivain.	1743-48
Fait jouer sept pièces qui engagent la réforme du théâtre italien. Succès rapide.	1748-49
Fait jouer six pièces. Polémique avec l'abbé Chiari, partisan de la *commedia dell'arte*•.	1749-50
Dix-sept pièces nouvelles dont *Le Café, Le Menteur.* Première édition des *Comédies*•.	1750-51
Quinze pièces nouvelles dont *La Locandiera*• (1752). Goldoni passe au théâtre San Luca. Polémique avec Chiari.	1751-53
La censure interdit *Les Mécontents.*	1755
La censure interdit *La Femme énergique.*	1758
Les Rustres.	1760
La Villégiature.	1761

DATES	ÉVÉNEMENTS HISTORIQUES	ÉVÉNEMENTS CULTURELS
1762		*Émile* de Rousseau.
1765		*Le Philosophe sans le savoir* de Sedaine.
1765-68	Disparition des protecteurs de Goldoni : mort du Dauphin (1765), du beau-père du roi (1766), de la Dauphine (1767), de Marie Leczinska (1768).	
1768	La Corse devient française.	*Voyage sentimental* de Sterne.
1769		
1771		
1774		*Les Souffrances du jeune Werther* de Goethe.
1775		*Le Barbier de Séville* de Beaumarchais.
1776	Guerre d'Indépendance des États-Unis.	
1778	Intervention française aux États-Unis.	
1784		*Le Mariage de Figaro* de Beaumarchais.
1785-87		
1791		*La Flûte enchantée* de Mozart.
1792	Valmy. Jemmapes.	*La Mère coupable* de Beaumarchais.
1793		

VIE ET ŒUVRE DE GOLDONI	DATES
Chamailles à Chioggia. Lassé par la polémique, Goldoni accepte de venir diriger les comédiens italiens en France.	1762
Déception : on lui demande des pièces à canevas.	
La Dauphine obtient pour Goldoni le poste de Maître d'italien de Mesdames, filles de Louis XV.	1765
Goldoni vit dans la gêne.	1765-68
	1768
On attribue à Goldoni une modeste pension.	1769
Goldoni rend visite à Rousseau qui lui conseille de rentrer chez lui. *Le Bourru bienfaisant* à la Comédie-Française.	1771
Excellent accueil.	1774
	1775
L'Avare fastueux, joué une seule fois.	1776
Goldoni Maître d'italien auprès des sœurs de Louis XVI (1775-1780).	1778
	1784
Goldoni rédige ses *Mémoires*.	1785-87
	1791
La Convention supprime la pension de Goldoni.	1792
6 février : mort de Goldoni. M.J. Chénier venait d'intervenir pour le rétablissement de sa pension.	**1793**

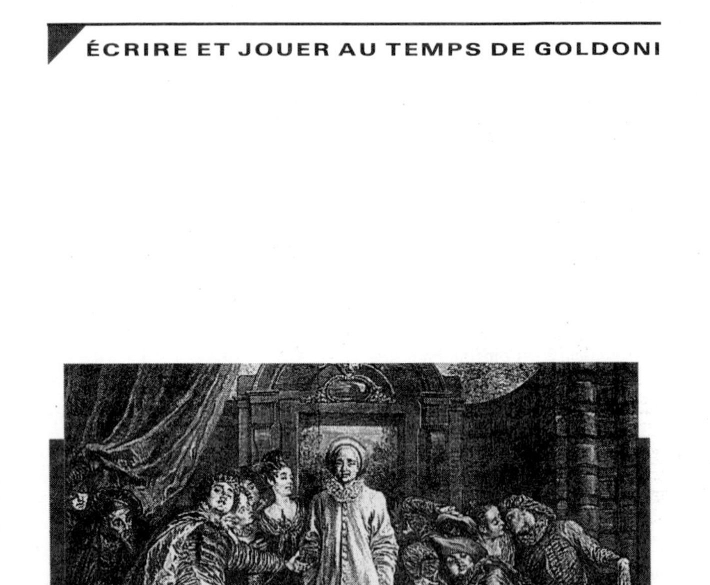

Les Comédiens Italiens. *Gravure d'après A. Watteau. BN.*

La guinguette. *Divertissement pantomime du Théâtre-Italien. Gravure de F. Basan, d'après G. de St-Aubin.*

LES SALLES

La rénovation des salles

•

C'est d'Italie qu'est partie la rénovation des salles de théâtre. Au XVIIe siècle, Parme, Naples, Vienne, possèdent des salles magnifiques ; Venise peut s'enorgueillir de posséder dix-sept théâtres, dont l'architecture en demi-ellipse sert de modèle dans toute l'Europe. La première salle de ce type• apparaît en France en 1687, mais c'est sans doute le grand théâtre de Bordeaux (1782) qui offre le plus bel exemple de ces réalisations inspirées des théâtres romains et qu'on appellera désormais « théâtres à l'italienne ».
Le parterre promenoir, où se presse un public debout et souvent indiscipliné, existe encore, mais il est progressivement remplacé par les fauteuils d'orchestre, qui apparaissent pour la première fois à la Scala de Milan en 1778. Les jours d'affluence, quelques spectateurs privilégiés ont encore le droit d'occuper des banquettes situées sur les côtés de la scène. Molière a ridiculisé ces petits maîtres qui, tel Acaste dans *Le Misanthrope,* se vantent de *« faire du fracas / À tous les beaux endroits qui méritent des ha ! ».* Banquettes et petits marquis disparaissent de la scène en 1759 grâce à Voltaire. Depuis 1640, le rideau, tiré ou levé, est devenu d'un usage courant. Une fosse d'orchestre est prévue pour les musiciens. L'Italien Servandoni perfectionne le décor en le proportionnant à l'échelle humaine pour obtenir l'illusion de la hauteur et de la profondeur. Enfin, la scène repose désormais sur un châssis invisible.
La lumière est donnée par un immense lustre plafonnier et par des appliques murales. C'est dans ce domaine que les progrès les plus notables restent à faire. Depuis la Renaissance, comédiens et spectateurs sont incommodés par la fumée âcre et malodorante des lampes à huile, chandelles de cire et autres bougies qu'il faut moucher régulièrement et qui risquent à tout instant de provoquer un incendie. Dans ces conditions, il n'est guère possible de faire varier la clarté, qui est la même sur la scène et dans la salle. La rampe est en usage en Italie dès la fin du XVIIe siècle : elle est constituée d'une centaine de bougies puis, vers le milieu du XVIIIe siècle, de lampes à huile un peu plus puissantes. C'est grâce à Quinquet que l'éclairage connaît un progrès décisif : lampes à double circulation d'air et réflecteurs donnent une lumière plus vive et modulable. L'éclairage au gaz fera son apparition à l'Odéon en 1830, à la Comédie-Française en 1873.

Les amphithéâtres romains

•

En Italie, l'été, on n'hésite pas à utiliser les amphithéâtres romains, comme celui de Vérone, dont Goldoni décrit ainsi l'aménagement sommaire dans ses *Mémoires*, p. 147 :

> *Dans cet espace [...] on donne des spectacles de toute espèce. Des courses, des joutes, des combats de taureaux et, en été, on y joue même la comédie• sans autre lumière que celle du jour. On construit, à cet effet, un théâtre de planches qui se défait en hiver et se remonte à la nouvelle saison, et les meilleures troupes d'Italie viennent y exercer leur talent. Il n'y a point de loges pour les spectateurs, une clôture de planches forme un vaste parterre avec des chaises. Le bas peuple se loge sur les gradins et, malgré la modicité du prix d'entrée, il n'y a pas de salle en Italie qui rapporte autant.*

L'AUTEUR

Une situation précaire

•

Dans l'Italie de Goldoni, la situation d'auteur• est assez précaire. Les salles de théâtre appartiennent souvent à de riches patriciens• qui entretiennent une troupe de comédiens conduite par un directeur. Le programme de la saison est fixé par ces deux puissants personnages. Quant à l'auteur•, il est lié au directeur par un contrat qui lui assure une certaine sécurité financière. On comprend que, lorsque Médebac, directeur d'une troupe célèbre, loue pour six ans une salle à Venise et propose à Goldoni de travailler pour lui, ce dernier s'empresse d'accepter car, à moins d'être riche comme Voltaire, ou philosophe comme Rousseau, l'auteur• ne peut guère se dispenser des ressources de son art. Encore celles-ci sont-elles mesurées pour l'auteur• italien : contrairement à son collègue français, il ne peut compter sur les diverses gratifications, pensions et bienfaits qu'assure parfois la générosité des Grands ; le prix des places est beaucoup moins élevé en Italie qu'en France ; la recette, fournie par les loges, appartient au propriétaire de la salle. L'auteur• vend donc ses pièces au directeur de la troupe, qui décide, après audition, de les inscrire ou non au programme. Maigres ressources, si l'on considère qu'une pièce à succès ne peut assurer qu'une vingtaine de représentations. Il arrive que l'auteur• travaille sur commande, à partir de *consignes dont la précision laisse rêveur ; c'est ainsi qu'à Venise, on commande à Goldoni « une comédie• sans femmes et susceptible d'exercices militaires, pour un collège de Jésuites ».* Le même Goldoni s'inspire souvent de la personnalité et de la vie des acteurs ; il compose une comédie• tout exprès pour Antonio Sacchi, qui s'est rendu célèbre dans le rôle d'Arlequin, et dont la renommée assure, à elle seule, le succès de la pièce.

Auteur et mise en scène

Jusque-là les auteurs• ne s'intéressaient guère à la mise en scène. D'ailleurs, en France, la mode du récit exposant *« ce que l'on ne doit point voir »* permettait d'éviter l'intrusion du spectacle sur la scène. Pour la farce, l'auteur• s'en remet au talent des acteurs : bonimenteurs, acrobates, chansonniers, ils s'entendent à manier les calembours faciles, les plaisanteries grossières, les allusions grivoises et le latin de cuisine. Après Molière, ce sont les Italiens et les petits théâtres de la Foire qui entretiendront cette forme de comique•. Cependant, au XVIIIe siècle, les auteurs• commencent à prendre en compte la matière scénique. En Italie, la réforme entreprise par Goldoni pour renouveler la comédie• traditionnelle va dans le même sens que les réflexions des théoriciens français du genre « sérieux » : la scène est chargée de représenter la vie sociale avec un réalisme accru, d'où ces peintures de milieux bourgeois censées donner l'illusion de la réalité, par la présence croissante, dans le décor et dans la mise en scène, des accessoires et objets de la vie quotidienne : meubles, couverts, lingerie, costumes, fers à repasser, flacons, lettres, etc. aident à cette transposition de la vérité dans l'art.

LES GENRES

La passion du théâtre

Le XVIIIe siècle a la passion du théâtre. C'est que la bourgeoisie cherche dans les arts de la scène la source d'un plaisir légitime, aussi bien que l'image de son irrésistible ascension. L'évolution des genres témoigne de cette vitalité : si pour la tragédie l'heure du déclin a sonné, la comédie• de mœurs est toujours bien vivante : le spectacle de l'immoralité des Grands lui offre une matière aussi divertissante que renouvelée. L'on aime donc rire au théâtre, mais l'on aime aussi y pleurer. Dans la « comédie• sérieuse », ou « larmoyante », un modeste vinaigrier, un négociant vertueux, un père de famille magnanime, un fils repenti, une jeune fille innocente et persécutée tirent des larmes aux cœurs sensibles. Diderot expose sa théorie du *« drame• bourgeois »* qui consacre le triomphe de la vertu. La fin du siècle voit naître le mélodrame, destiné à un public peu cultivé et amateur de sensations fortes. Cependant, le théâtre dans son ensemble est en concurrence avec des formes d'expression voisines : on se presse à l'opéra-comique, à l'opéra-ballet, à l'opéra-bouffe ; on lit de plus en plus de romans, et le foyer de la vie intellectuelle se déplace vers les clubs, les salons et les cafés, comme le célèbre café de la Régence, à Paris, où Diderot rencontre le neveu de Rameau.

L'hégémonie de la *commedia dell'arte* •

Lorsque Goldoni commence à s'intéresser au théâtre, la comédie• italienne est dominée par la *commedia dell'arte*•. Héritière des atellanes romaines, elle se diffuse à travers toute l'Europe dès le XVIe siècle, grâce au dynamisme de troupes itinérantes. La dimension d'une troupe est variable. Le plus souvent, celle-ci comprend de dix à vingt comédiens dont les rôles sont fixés à l'avance et toujours les mêmes : deux vieillards, un capitan, deux jeunes premiers amoureux, deux jeunes premières amoureuses, deux valets, une ou deux soubrettes, plus quelques acrobates, danseuses, chanteuses et, à partir du XVIIIe siècle, des emplois caractéristiques *(« caratterista »)* créés en fonction des circonstances.
Les deux vieillards représentent des pères. Le premier, appelé Pantalon, est un négociant vénitien, riche et avare – Venise est alors la ville la plus prospère d'Italie – toujours vêtu du costume traditionnel de son pays : robe noire, bonnet de laine, gilet rouge, culotte coupée en caleçons, bas rouges et pantoufles. Son menton est orné d'une barbe à la mode de l'ancien temps et – bien entendu – il porte un masque•. Le deuxième vieillard représente le savant, par opposition au commerçant ; comme il est originaire de Bologne, on l'appelle le Docteur Bolonais. Juriste, vêtu de noir, il incarne le pédant ridicule et porte un masque• reconnaissable à la tache de vin imaginée d'après celle qui déformait le visage d'un authentique jurisconsulte bolonais.
Les deux valets étaient, à l'origine, deux paysans chassés par la

pauvreté de leur région de Bergame. Hommes rustres et solides, ils font partie de ces miséreux qui affluent à Venise pour trouver du travail. On les repousse, on les ridiculise au théâtre, où l'on rit de leur balourdise et de leur fourberie ; on les appelle les Zani. Brighella est le valet fourbe ; il porte une livrée et son masque• basané trahit son origine montagnarde. Arlequin est un pauvre diable qui, pour se vêtir, assemble les pièces de différents costumes. Il porte un chapeau orné d'une queue de lièvre. Les deux Zani portent parfois d'autres noms : Truffaldin, Scapin, Beltrame, etc.
Tels sont les quatre « masques• » de la *commedia dell'arte*•.
Le Capitan est un homme de guerre fanfaron et poltron. On l'appelle aussi Scaramouche, Fracasse, Cocodrillo, ou Matamore s'il est espagnol. Les deux soubrettes s'appellent Zerbina et Colombina ; les amoureux Flavio, Leandro, les amoureuses Flornida, Ortensia, Rosalva, Sylvia. Tous ces noms passent dans les comédies• de Molière, de Marivaux, de Beaumarchais, de Musset.

Les acteurs de la Comédie-Italienne, *tableau de A. Watteau. Collection Crozat.*

Les acteurs de la Comédie-Italienne, *tableau de Lancret. Musée du Louvre.*

La pièce n'est pas écrite. Le jeu consiste à improviser à partir d'un canevas accroché en coulisse, qui donne une description sommaire de l'action, et règle les entrées et les sorties. C'est le corps qui doit compenser l'absence d'expression du visage masqué, d'où l'importance du mime, et de la voix.

LA RÉFORME DE GOLDONI

Au XVIIIe siècle, malgré les améliorations que lui apporte Carlo Gozzi, la *commedia dell'arte*• commence à s'essouffler. La plupart des personnages sont dépassés par l'histoire et n'ont plus de portée satirique. D'autre part, Goldoni se fait du théâtre une plus noble idée : il veut faire de la comédie• italienne l'égale de la comédie• de Molière. La réforme qu'il tente d'imposer à ses contemporains s'engage dans plusieurs directions : d'abord supprimer les masques•, car l'acteur *« a beau gesticuler et changer de ton•, il ne fera jamais connaître* [...] *les différentes passions dont son âme est agitée »* (*Mémoires,* p. 258). Ensuite, renouveler et enrichir des personnages devenus de simples pantins : le Docteur Bolonais et Pantalon, tout en gardant certains traits de leur caractère, deviennent des bourgeois dont le bon sens et la rudesse s'opposent à la morgue de l'aristocratie. Brighella se transforme en patron d'auberge ; Arlequin se polit au contact de la ville et Colombine donne naissance à toute une lignée de Mirandolines, dont l'esprit éveillé et le franc parler soulignent la féminité. Du coup, il faut un texte élaboré pour construire cette complexité psychologique, des acteurs d'une espèce nouvelle pour l'apprendre et pour le dire, une mise en scène plus riche pour en établir la réalité. C'est dire que Goldoni se heurte à de nombreuses résistances : celle des comédiens dont il déplore la paresse et le manque de rigueur ; celle du public qui lui demande des pièces à canevas. L'évolution est pourtant irréversible : l'auteur• devient un écrivain, le personnage un être humain, le metteur en scène n'est pas loin. Goldoni a transformé le métier d'auteur•, le métier d'acteur et la conception même de la comédie• italienne : sa réforme est une révolution.

Le départ des Comédiens Italiens, *expulsés de l'Hôtel de Bourgogne en 1697. Gravure de L. Jacob d'après A. Watteau.*

ACTE I

	ACTION PRINCIPALE	ACTION SECONDAIRE
LIEU	le salon de l'auberge	autre salle de l'auberge
ACTION	– les circonstances (exposition) – l'événement : rencontre du Chevalier et de Mirandoline • le choc et la révolte de Mirandoline (I, 5) • sa décision : séduire le Chevalier (I, 9)	– arrivée des comédiennes • la comédie sociale : elles se font passer pour des dames de qualité • la comédie de l'amour : les cadeaux - rôles des hommes et des femmes : donner et recevoir
LIEU	la chambre du Chevalier	
ACTION	• la comédie de la séduction • les premiers effets sur le Chevalier (I, 16)	scène du mouchoir / scène des bijoux (II, 21) (I, 22)

↘ ↙

CONVERGENCE
Mirandoline seule en scène :
• le plaisir de la conquête : un défi à l'ordre établi
• le choix d'une stratégie : la comédie

ACTE II

	ACTION PRINCIPALE	ACTION SECONDAIRE
LIEU	la chambre du Chevalier	hors scène, la chambre du Comte
ACTION	– le repas du Chevalier • seul • en compagnie de Mirandoline	– le repas du Comte avec les deux comédiennes
	◄── la séduction ──► ◄── par défi par intérêt ──►	
	– l'entreprise de Mirandoline : • elle paraît sincère aux yeux du Chevalier • elle le prend en flagrant délit de mensonge	
	◄── perméabilité des espaces : l'échange des vins et la rivalité du Comte et du Marquis ──►	
	• sortie de Mirandoline – conséquences sur le Chevalier (II, 9)	
LIEU		en scène, la chambre du Comte
ACTION	– Mirandoline continue de faire la conquête du Chevalier : succès (II, 17)	(II, 10) – propos sur la vocation de la comédie : *« imiter les ridicules »* – propos sur les comédiens – les comédiennes tentent de séduire le Chevalier : échec (II, 13)
	↘ CONVERGENCE ↙ variations sur le thème de la sincérité dans la conquête amoureuse	

ACTE III

	ACTION PRINCIPALE / ACTION SECONDAIRE Domaine de la « réalité » / Domaine de la comédie
LIEU	appartement de Mirandoline, puis chambre avec trois portes
ACTION	dernière rencontre du Chevalier et de Mirandoline – l'humiliation du Chevalier : • secrète : son cadeau est refusé, un valet lui est préféré • publique : son amour pour Mirandoline est dévoilé – le destin du flacon d'eau de mélisse : • est-il en or ou pas ? • il échoue entre les mains d'une comédienne → nouvelle variation sur le thème de l'être et du paraître

Ce n'est pas dans la littérature que Goldoni a puisé son inspiration pour créer ses meilleures comédies•, mais bien plutôt dans l'observation directe de la réalité humaine. Il suffit de lire ses *Mémoires* pour comprendre que, dans le processus de création artistique, c'est la vie qui lui apporte – et parfois sous une forme inattendue – les sujets dont son imagination s'empare pour les porter à la scène.

DE RARES EMPRUNTS AUX ILLUSTRES PRÉDÉCESSEURS

Certes, Goldoni connaît le théâtre du XVIIe siècle, en particulier le théâtre français. Il admire les comédies• de Molière. Un jour, agacé par les comparaisons que le public italien ne manque pas de faire entre ses propres pièces et celles de l'auteur• français (*« il y avait des êtres singuliers qui disaient à chacune de mes nouveautés : "c'est bien, mais ce n'est pas du Molière" »*) (*Mémoires,* p. 238), il écrit une comédie•, en cinq actes et en vers, dont le sujet lui est fourni par deux événements bien connus de la vie de son maître, le prétendu projet de mariage avec la fille d'Armande Béjart et la défense du *Tartuffe.* Lorsque Goldoni sait qu'il a une dette envers l'un de ses illustres prédécesseurs, il est trop honnête pour ne pas l'avouer. Par exemple, à l'époque où il cherchait des sujets de comédie• un peu partout, il se rappelle avoir vu jouer à Florence *Le Menteur* de Corneille, et projette d'écrire une pièce qui reprendrait celle de l'auteur• français, en y ajoutant plus de comique•. Par respect pour celui qu'il considère comme un maître, il se fait un honneur de travailler d'après lui, se contentant de chercher *« ce qui* [lui] *paraissait nécessaire pour le goût de* [sa] *nation et pour la durée de la pièce »* (*id.* p. 229). Il lui arrive aussi de s'inspirer d'un roman. Dans les années 1744-1745, les Italiens découvrent avec délices la traduction du roman de l'écrivain anglais Richardson, *Pamela.* Le sujet ne lui paraît guère convenir à la comédie•, qui *« ne doit exposer les faiblesses humaines que pour les corriger »* (*id.* p. 231) ; mais, poussé par la nécessité, encouragé par les personnes de son entourage, Goldoni finit par écrire une *Pamela* si bien adaptée au goût de son public qu'elle remporte un grand succès.

L'OBSERVATION DE LA RÉALITÉ HUMAINE

Mais c'est autour de lui, dans le quotidien de son existence, qu'il trouve le plus souvent la matière de ses comédies•. La vie de ses comédiens est pour lui une source d'inspiration quasi intarissable : il écrit *La Femme capricieuse* d'après une actrice de la troupe Médebac et donne le rôle à Madame Médebac elle-même, qui n'est pas fâchée de se moquer un peu de sa camarade ; la même Madame Médebac, véritable malade imaginaire, est épinglée à son tour dans *La Feinte Malade,* où elle accepte avec bonne grâce de jouer son propre personnage. C'est pour une certaine Coraline, autre actrice de la même troupe, et dont il a peut-être été amoureux, que Goldoni crée le rôle de Mirandoline.

C'est parfois une simple scène de rue qui l'inspire. Un jour, toujours pressé par la nécessité de tenir ses engagements, il sort de chez lui pour aller place Saint-Marc, comme un chasseur en quête d'un gibier. Sous une arcade, il aperçoit un vieux marchand de fruits connu et méprisé de toute la ville : il tient son sujet, rentre chez lui, s'enferme dans son cabinet et compose une comédie• intitulée *Les Caquets*. La matière du *Poète fanatique* lui est donnée par le père d'une fille unique, jeune, jolie et tellement douée pour la poésie qu'il refuse de la marier afin de jouir seul de ses talents. Poussé par ses amis à écrire une pièce d'après un roman, comme il l'a déjà fait pour *Pamela,* il se propose, par défi, de composer une comédie• dont on pourrait tirer un roman. Aussitôt rentré chez lui, il se met au travail avant même d'avoir une idée précise du sujet et de l'intrigue• (*id.* p. 234) :

> *Voilà comment je commençai* L'Inconnue, *et je continuai de même ; bâtissant un vaste édifice sans savoir si j'en faisais un temple ou une halle. Chaque scène en produisait une autre ; un événement m'en produisait quatre ; à la fin du premier acte, le tableau était esquissé ; il ne s'agissait que de le remplir. J'étais étonné moi-même de la quantité et de la nouveauté des incidents que l'imagination me fournissait. Ce fut à la fin du second acte que je pensai au dénouement•, et je commençai dès lors à le préparer pour en avoir un inattendu, surprenant, mais qui ne tombât pas des nues.*

C'est donc ainsi que travaillait Goldoni, en homme de théâtre vivant parmi les hommes, jetant sur eux un regard amusé, lucide et sans illusions, mais aussi sans méchanceté, et n'excluant ni la sympathie ni la bonté.

La piazzetta S. Marco à Venise. *Tableau de Canaletto, Gall. Nazionale d'arte antica, Rome.*

JUGEMENT D'UN CONTEMPORAIN

Dans ses *Mémoires* (p. 340), Goldoni évoque sa rencontre avec J.-J. Rousseau à Paris. Le philosophe juge sévèrement le projet de l'auteur• italien.

J'avais le cœur navré ; voir l'homme de lettres faire le copiste ; voir sa femme faire la servante, c'était un spectacle désolant pour mes yeux, et je ne pouvais pas cacher mon étonnement ni ma peine ; je ne disais rien. L'homme qui n'est pas sot s'aperçoit qu'il se passe quelque chose dans mon esprit ; il me fait des questions, je suis forcé de lui avouer la cause de mon silence et de mon étourdissement.

« Comment, dit-il, vous me plaignez, parce que je m'occupe à copier ? Vous croyez que je ferais mieux de composer des livres pour des gens qui ne savent pas lire, et pour fournir des articles à des journalistes méchants ? Vous êtes dans l'erreur, j'aime la musique de passion ; je copie des originaux excellents ; cela me donne de quoi vivre, cela m'amuse et en voilà assez, pour moi. Mais vous, continua-t-il, que faites-vous, vous-même ? Vous êtes venu à Paris pour travailler pour les Comédiens Italiens ; ce sont des paresseux ; ils ne veulent pas de vos pièces ; allez-vous-en, retournez chez vous ; je sais qu'on vous désire, qu'on vous attend...

– Monsieur, lui dis-je, en l'interrompant, vous avez raison, j'aurais dû quitter Paris d'après l'insouciance des Comédiens Italiens ; mais d'autres vues m'y ont arrêté. Je viens de composer une pièce en français.

– Vous avez composé une pièce en français, reprend-il, avec un air étonné, que voulez-vous en faire ? – La donner au théâtre. – À quel théâtre ? – À la Comédie-Française. – Vous m'avez reproché que je perdais mon temps ; c'est bien vous qui le perdez sans aucun fruit. – Ma pièce est reçue. – Est-il possible ? Je ne m'étonne pas ; les comédiens n'ont pas le sens commun ; ils reçoivent et ils refusent à tort et à travers ; elle est reçue, peut-être, mais elle ne sera pas jouée, et tant pis pour vous si on la joue. – Comment pouvez-vous juger une pièce que vous ne connaissez pas ? – Je connais le goût des Italiens et celui des Français ; il y a trop de distance de l'un à l'autre ; et avec votre permission, on ne commence pas à votre âge à écrire et à composer dans une langue étrangère. – Vos réflexions sont justes, Monsieur, mais on peut surmonter les difficultés. J'ai confié mon ouvrage à des gens d'esprit, à des connaisseurs, et ils en paraissent contents. – On vous flatte, on vous trompe, vous en serez la dupe. Faites-moi voir votre pièce ; je suis franc, je suis vrai, je vous dirai la vérité.

Goldoni, *Mémoires de M. Goldoni*, Mercure de France.

AU XXe SIÈCLE

Une œuvre faite d'abord pour le spectateur

•

Goldoni est surtout et avant tout un homme de théâtre né. Une seule passion, une seule ambition domine sa vie : le théâtre. Tout en repoussant la technique vieillie de la commedia dell'arte•, *il a su tirer d'elle le meilleur, qui se trouvait être en accord avec son tempérament : une admirable spontanéité, un sens du dialogue si vif, si naturel qu'il paraît improvisé, un déroulement de l'action où ne transparaît aucune trace d'effort. Il réussit ce miracle qu'observe Momigliano de « ne jamais nous laisser éprouver une sensation de vide ». Une fois son sujet conçu, c'est avec une prodigieuse facilité qu'il écrit ses pièces. « De chaque scène en sortait une autre, et chaque événement en engendrait quatre nouveaux », dit-il à propos de la composition d'une comédie•.*
Le théâtre de Goldoni n'est pas une œuvre « littéraire », en ce sens qu'il est moins fait pour le lecteur que pour le spectateur. Ce n'est pas l'œuvre d'un écrivain, mûrie dans le silence et l'étude, mais celle d'un homme de théâtre complet, à la fois auteur• et metteur en scène, qui avait besoin du contact permanent avec ses interprètes et son public. Tantôt c'est la personnalité d'un acteur ou d'une actrice qui lui suggère un rôle, un personnage ; tantôt c'est le public qui influe directement sur le choix d'un sujet ; tantôt c'est l'auteur• qui cherche à imposer son point de vue à sa troupe et aux spectateurs. Tel un journaliste, il a une curiosité toujours en éveil. Il y a chez lui cette conception très moderne (et très ancienne aussi, si l'on pense au théâtre grec et aux mystères du Moyen Âge) du théâtre-spectacle de masse. Pour garder le contact avec tout *le public, il n'a pas hésité à contrevenir aux règles des « convenances » littéraires de l'époque, en prenant pour personnages des gens du peuple, en employant leur dialecte, si méprisé par la bonne société.*
Sans doute Gozzi avait-il raison de lui reprocher certaines négligences de forme, mais il est impardonnable de n'avoir pas vu que ces petites imperfections avaient pour énorme contrepartie d'incomparables qualités scéniques.
S'il est vain aussi de vouloir comparer Goldoni à Molière, car leurs génies sont le reflet de deux civilisations différentes, il n'est certainement pas inexact d'affirmer que Goldoni tient, dans l'histoire du théâtre italien, une place aussi élevée que Molière dans l'histoire du théâtre français.

Armand Monjo, *La Belle Hôtesse, Les Rustres, La Nouvelle Maison*, préface, éd. Sociales, 1957.

Une œuvre de réforme du théâtre

•

C'est au cours du XVIIIe *siècle que le spectacle et le texte se rencontrent, en Italie, dans une solide littérature théâtrale. Au moment où le pays reprend un dialogue tendu et difficile avec l'Europe, le théâtre, par le besoin qu'exprime la nouvelle culture de communiquer avec un public, devient l'objet d'une recherche passionnée. Goldoni répond, en ce sens, comme P. Métastase pour le mélodrame• et un peu plus tard V. Alfieri pour la tragédie, aux aspirations dramaturgiques de son siècle. Et la réponse de ce modeste génie du théâtre – si l'on peut exprimer avec une sorte d'oxymoron sa véritable grandeur – peut paraître trop facile, tant elle est naturelle. Carlo Goldoni est ce bourgeois qui, à partir de 1748, conçoit le théâtre comme un métier, presque une affaire qui doit être bien menée, en respectant les règles du jeu avec honneur et « réputation » comme les marchands qu'il met en scène. Ce qui n'exclut pas un dessein très ambitieux : dans la préface de ses* Mémoires *qu'il écrivit en français vers la fin de sa longue vie et qu'il publia à Paris en 1787, Goldoni se présente comme « un homme singulier qui a visé à la réforme du théâtre de son pays, qui a mis sur la scène et sous la presse cent cinquante comédies•, soit en vers, soit en prose, tant de caractère que d'intrigue•, et qui a vu, de son vivant, dix-huit éditions de son théâtre ». Or ce qu'il appelle la « réforme » du théâtre italien consiste avant tout pour lui dans la liquidation de la commedia dell'arte• tombant dans la routine et la vulgarité. On sait comment il a procédé graduellement dans cette voie : il a remplacé peu à peu les vieux « canevas » proposés à l'improvisation des acteurs par un texte entièrement écrit ; il s'est débarrassé, aussi, par un souci réaliste, des masques• traditionnels, à partir de* Pamela *(1750). Mais ce sont là des innovations en quelque sorte extérieures. Ce qui est nouveau, chez Goldoni, c'est l'observation du réel qui remplace le goût de l'extraordinaire et du merveilleux ; sans détruire, pour autant, la vitalité gestuelle et verbale de la commedia dell'arte•. Car Goldoni est, avant tout, un homme de théâtre, dans le sens le plus précis du terme. On perçoit d'emblée, à la base de ses pièces, une acceptation sans réserve de cette « convention » qui définit le spectacle ; une expérience directe du plateau et des acteurs ; une passion, en somme, pour tous les éléments d'un organisme théâtral.*

M. Baratto, article *Goldoni*, in Encyclopaedia Universalis.

L'éternelle comparaison avec Molière

•

S'il avait écrit un peu plus correctement, si son comique• avait été un peu plus délicat, si les circonstances lui avaient permis de composer moins de comédies• et de les travailler davantage, peut-être alors pourrait-on le comparer à Molière.

Cesarotti, cité dans *Letteratura italiana*, Didier, 1960.

La Locandiera au confluent de divers héritages

•

À ce propos éclate la contradiction entre la volonté affichée de Goldoni de « réformer » le théâtre italien avili par la commedia dell'arte•, et la persistance des échos de celle-ci. Il en est un, qui est le rôle de Fabrice, dont Goldoni note dans la préface qu'il avait été initialement composé pour un acteur « habitué à parler sous le masque• de Brighella ». Or nous savons (Goldoni lui-même le dit dans ses Mémoires) *que « Brighella représente un valet intriguant, fourbe, frippon ». Quelle qu'ait été la volonté de Goldoni de donner à son Fabrice la dignité convenable, il semble bien que le masque• de Brighella apparaisse sous la livrée du valet protecteur de l'orpheline. On en dira autant des deux « comédiennes » : ce sont des types• qui se rattachent au thème de la courtisane traditionnel depuis la Renaissance. Hortense est plus expérimentée, et joue presque le rôle de la conseillère, gourmandant la plus jeune (Déjanire) qui compense son inexpérience par l'audace et la cupidité.*

Est-il légitime de parler d'un héritage inconscient dans le cas du Chevalier? par son mépris des femmes perçu comme une caricature de la virilité, il pourrait apparaître comme une reprise du Capitan, voire du Pantalon, et à ce titre comme une préfiguratioin du Rustego, autre personnage cher à Goldoni. Il en va de même pour Mirandoline, dont la coquetterie aguicheuse ferait une digne héritière de la Courtisane.

Mais en fait nous nous trouvons ici au confluent d'héritages divers : l'Espagne du Siècle d'or apporte le thème de « la femme hostile à l'Amour », de la femme qui doit faire face à trois prétendants. C'est La Princesse d'Élide *de Molière, mais une princesse bourgeoise, et mise au goût du XVIII*[e] *siècle. Marivaux est passé par là et cette (cruelle) leçon d'amour pourrait s'intituler* La Locandiera•, *ou le Chevalier poli par l'Amour.*

Goldoni, *La Locandiera*, préface de G. Luciani
à l'éd. Folio, Gallimard, 1991.

LE DÉCLIN DE LA « SÉRÉNISSIME »

À la fin du XVIe siècle, Venise – patrie de Marco Polo et de Goldoni – est une des plus prestigieuses capitales européennes, que son luxe et son carnaval• ont déjà rendue célèbre. Gouvernée par un pouvoir aristocratique stable et fortement structuré, elle fait rayonner sa puissance commerciale, industrielle et militaire sur l'Adriatique, la mer Noire, la Méditerranée, et sur les côtes de l'Atlantique. Sa richesse architecturale atteint alors son apogée : c'est à cette époque que s'achève le pont de Rialto et que s'élèvent les somptueux palais qui renferment les œuvres des peintres Titien, Tintoret et Véronèse. Située aux confins de l'Orient et de l'Occident, ouverte sur l'ensemble du monde connu, la République de Venise abrite une population cosmopolite, où se mêlent communautés allemande, albanaise, grecque et juive, et qui, en 1790, comprend environ quatre millions de personnes.
Le déclin de la *« miraculosissima civitas »* est amorcé dès le XVIIe siècle. Il aboutit, en 1797, à la disparition pure et simple de la République de Venise. Français et Autrichiens, qui s'affrontent depuis un an sur son territoire, s'accordent finalement pour rayer d'un trait de plume un état vieux de onze siècles. Le traité de Campo Formio (1798) fixe les conditions de l'occupation autrichienne. Aujourd'hui encore, aux yeux de certains Italiens du Nord, Venise n'est rien d'autre que *« la cité des Autrichiens »*. Quelles sont les raisons qui sont à l'origine de cet effondrement ?

Venise, la lagune et le palais des Doges. *Tableau de Francesco Guardi.*

À l'extérieur, affaiblissement et isolement

•

Dès le début du XVIIIe siècle, la situation est devenue préoccupante : réduction des vastes possessions orientales (pertes de Chypre, de la Crète), diminution du commerce devant la concurrence italienne, française et espagnole ; même si le marché intérieur reste dynamique, l'activité économique décroît en se régionalisant. Le rideau de barrières douanières derrière lequel on s'abrite ne constitue qu'une protection illusoire. Dans le domaine de la politique extérieure, la République de Venise s'efforce de conserver une impossible neutralité face à une Europe en pleine effervescence. Les ambitions de la maison d'Autriche d'un côté, la pression des Turcs de l'autre, constituent une menace incessante et l'effort pour maintenir la paix est ruineux, aussi bien sur le plan financier que sur le plan diplomatique. En 1790, la dette publique s'élève à près de cent millions de ducats. À cette époque, l'image de l'état vénitien est celle de son gouvernement, qualifié par Bonaparte de *« traître et lâche »*.

À l'intérieur, immobilisme et corruption

•

Isolée de l'Europe tout en étant au centre des intrigues• de ses puissants voisins, la République de Venise semble vouloir se figer dans une parfaite immobilité. La même constitution régit le fonctionnement de l'État depuis 1297. Depuis des siècles, trois cents familles de patriciens•, dont les noms figurent sur le *« Livre d'Or »*, exercent un pouvoir sans partage, concentré dans les mains du « Conseil des Dix ». Aucune critique n'est tolérée : mécontents et opposants sont jetés en prison. Ultra-conservateurs, les responsables politiques défendent l'ordre établi grâce à un réseau serré de mouchards et de policiers. La ville fourmille d'ailleurs d'espions à la solde de l'étranger. Le sens de l'État, l'esprit civique s'affaiblissent dans la conscience des citoyens, et la corruption se répand chez les fonctionnaires et chez les policiers, qui compensent un salaire misérable par le recours au vol et au chantage.

Une société cloisonnée et appauvrie

•

Officiellement, la distinction entre les nobles *(patrizi)*, les bourgeois *(cittadini)* et le peuple *(plebei)* existe toujours. En réalité, à l'intérieur même de la noblesse, on trouve des situa-

tions extrêmement variées : seuls les plus riches patriciens• peuvent accéder au pouvoir ; les autres, de plus en plus nombreux, vivent souvent chichement (certains vendent leurs titres), et vont entretenir leur rancœur dans des emplois éloignés ou subalternes. Divisés et impuissants, ils ne sauraient constituer un danger pour le gouvernement central. Globalement, la puissance financière des nobles est en régression : les plus fortunés refusent obstinément d'investir leurs capitaux dans une industrie qui commence à décliner et qui, bientôt, ne doit plus sa survie qu'aux subventions de l'État.
À l'inverse de ce qui se produit à la même époque dans des pays comme la France ou l'Angleterre, la bourgeoisie, en raison sans doute de l'affaiblissement des activités marchandes, n'occupe qu'une place relativement restreinte dans la vie économique et culturelle. Artisans et boutiquiers mènent une existence convenable. Mais, si les corporations les protègent, elles empêchent toute véritable concurrence et toute innovation : quelques patrons et chefs d'atelier tout puissants, qui ont pris soin de rendre leur profession héréditaire, se partagent marchés et bénéfices. Les ouvriers connaissent un sort peu enviable : mal payés, en dépit d'un temps d'apprentissage qui peut atteindre six ans, ils sont pratiquement voués toute leur existence à servir le même patron. Travaillant au moins quatorze heures par jour, se nourrissant presque exclusivement de pain, ils vivent dans des quartiers insalubres où le taux de mortalité infantile est effrayant. Dans le petit peuple, c'est peut-être la condition de domestique qui paraît la moins pénible ; le train de vie des grandes familles de patriciens• et de quelques grands bourgeois requiert une armée de serviteurs en tous genres, qui représente à elle seule, vers le milieu du XVIIIe siècle, le dixième de la population de la ville, soit environ 12 000 personnes. Enfin, tout en bas de l'échelle sociale, on trouve une masse importante d'individus (environ 25 000 en 1785) sans ressources, réduits à la mendicité.

VENISE, CENTRE DES PLAISIRS ET DU TOURISME EUROPÉENS

Les derniers feux d'une noblesse bientôt ruinée

•

Dans les palais qui bordent le Grand Canal, sous la lumière des lustres dont la mode va envahir l'Europe, se succèdent des fêtes somptueuses dans lesquelles les nobles richissimes engloutissent les restes d'immenses fortunes constituées autrefois par la guerre et le commerce (lire, dans *Candide* de Voltaire, les chapitres 25 et 26). On entretient ainsi l'illusion d'une prospérité que le temps semble ne pas devoir entamer. L'été, on se transporte à la campagne : toute la bonne société part « en villégiature » faire admirer le luxe qu'elle est lasse d'étaler à Venise. Les palais d'été qui se pressent le long de la Brenta bourdonnent du bruit des réceptions, opéras, comédies•, qu'on y donne à grands frais. En 1754, Goldoni ouvre la saison théâtrale avec une pièce intitulée justement *La Villeggiatura*.

Voici comment, dans ses *Mémoires* (p. 253), Goldoni évoque ces *« parties de campagne »* :

> *J'avais parcouru sur ma route plusieurs de ces maisons qui bordent la Brenta, où le luxe déploie son faste. C'est là où nos ancêtres n'allaient que pour recueillir leur bien, qu'on va aujourd'hui pour le dissiper. C'est à la campagne où l'on tient gros jeu, table ouverte et où l'on donne des bals, des spectacles et c'est là où la cicisbéature italienne (la mode des chevaliers servants, ou « sigisbées• »), sans gêne et sans contrainte, fait plus de progrès que partout ailleurs.*

Venise, le Grand Canal. *Tableau de Canaletto.*

Goldoni a pu d'autant mieux observer ce milieu, que son grand-père lui-même, avant de mourir en 1712 d'une « fluxion de poitrine » causée par une « partie de plaisir », s'adonnait volontiers à ces réjouissances, comme en témoigne le portrait brossé dans les *Mémoires* (p. 32) :

> *C'était un brave homme, mais point économe; il aimait les plaisirs et s'accommodait très bien de la gaîté vénitienne. Il avait loué une belle maison de campagne appartenant au Duc de Massa-Carrara, sur le Sil, dans la Marque-Trévisane, à six lieues de Venise; il y faisait bombance; les terriens de l'endroit ne pouvaient pas souffrir que Goldoni attirât les villageois et les étrangers chez lui. Un de ses voisins fit des démarches pour lui ôter la maison; mon grand-père alla à Carrare, il prit à ferme tous les biens que le Duc possédait dans l'État de Venise. Il revint glorieux de sa victoire, il renchérit sur la dépense. Il donnait la comédie•, il donnait l'opéra chez lui; tous les meilleurs acteurs, tous les musiciens les plus célèbres étaient à ses ordres; le monde arrivait de tous côtés. Je suis né dans ce fracas, dans cette abondance; pouvais-je mépriser les spectacles? pouvais-je ne pas aimer la gaîté?*

Une cité aux mœurs légères

•

Évidemment, un luxe aussi tapageur ne manque pas d'exciter la jalousie des bourgeois aisés, et la morgue des nobles ruinés (les « Barnaboti » du quartier San Barnaba), qui, comme le marquis de Forlipopoli de *La Locandiera*•, usent d'expédients pour tenter de sauver les apparences. Quant au petit peuple, il a de plus en plus souvent l'occasion d'oublier la misère dans d'innombrables jeux et fêtes, parmi lesquels le célèbre « Carnaval• », dont la durée ne cesse d'augmenter. Le relâchement des mœurs provoque la colère de l'ancienne génération, qui déteste les modes, les plaisirs et le siècle tout entier, et manifeste une farouche hostilité au désir de liberté des femmes. Goldoni puise dans les excès de ces censeurs un nouveau sujet d'inspiration et crée une comédie• intitulée *Les Rustres*.
Les *Mémoires* de Casanova, célèbre séducteur né à Venise en 1725, donnent une idée précise de la légèreté des mœurs du temps : les aventures galantes sont la grande affaire des hommes de qualité; maisons de jeu et courtisanes prolifèrent; les grandes dames, au maquillage savamment rehaussé d'une

Venise, le palais des Doges. *Tableau de Canaletto.*

« mouche », exhibent leurs parures extravagantes et leurs « sigisbées• », ces chevaliers servants qui, avec l'accord d'un mari complaisant, s'efforcent de satisfaire le moindre de leurs caprices. Goldoni, étonné et amusé par ceux qu'il appelle *« les martyrs de la galanterie »* (*Mémoires,* p. 221), ne manque pas d'écrire une comédie• – *Le Chevalier et la Dame de qualité* – dans laquelle il raille *« les esclaves des fantaisies du beau sexe »* (p. 221), non sans avoir pris certaines précautions pour ne pas irriter d'avance *« la nombreuse société des galants »* (p. 221). La pièce est jouée quinze fois de suite, ce qui représente, à l'époque, un beau succès.

Le séjour obligé des artistes et des joueurs

•

Venise devient le lieu de séjour obligé des voyageurs fortunés et des artistes renommés : écrivains comme Foscolo, Goethe ; musiciens comme Haendel, Gluck, Mozart ; peintres comme Canaletto, Longhi, Tiepolo, Guardi, cèdent aux charmes de la

« Sybaris de l'Europe ». Hôtelleries, auberges (les *« locande »*) et cafés (dont le célèbre café Florian) se multiplient pour accueillir une société frivole et avide de plaisirs. Tous les étrangers qui font en Italie « le grand tour » disent leur admiration pour cette ville splendide et joyeuse. Mais Venise attire aussi des joueurs des quatre parties du monde. Nouveau champ d'observation pour Goldoni : *« Dans ce temps-là, tous les jeux de hasard étaient tolérés à Venise. Il y avait cette fameuse "redoute" qui enrichissait les uns et ruinait les autres »* (p. 231). Tout le monde joue, y compris les membres du Grand Conseil. Goldoni voit dans l'échec de sa comédie• *Le Joueur* un témoignage de la puissance de ses adversaires. En 1774, le mal est si profond que le gouvernement de la République de Venise juge nécessaire d'interdire les jeux de hasard.

UNE VIE CULTURELLE INTENSE, MAIS BIENTÔT EN CRISE

Capitale du spectacle en Italie et en Europe, Venise connaît une activité théâtrale extrêmement riche, qui s'étale sur trois saisons : du 1er septembre au 30 novembre, du 28 décembre au 30 mars, et de l'Ascension au 15 juin. Le genre qui domine tous les autres, dans le goût du public, est l'opéra. Dans les grands théâtres de la ville (San Cassian, San Salvador, San Luca, San Samuele et San Angelo), le « théâtre en prose » n'a droit de cité qu'à l'occasion du Carnaval•.

Un certain conservatisme intellectuel

•

Cependant, ce qu'il est convenu d'appeler en France « La Philosophie des Lumières », en Allemagne l'« Aufklärung », en Italie l'« Illuminismo » – ce mouvement des idées qui ébranle les fondements de l'ordre classique – ne rencontre guère d'écho dans la vie culturelle de Venise. La situation d'insularité, le centralisme et le conservatisme du pouvoir, la faiblesse de la bourgeoisie, la seule classe sociale qui pourrait contribuer à la diffusion des idées nouvelles, isolent la République sérénissime de l'effervescence intellectuelle qui agite les cercles littéraires et philosophiques européens. Il est vrai que la censure est particulièrement vigilante : jusqu'à la fin du siècle, l'édition est essentiellement orientée vers la publication d'ouvrages religieux ; Machiavel et Rousseau sont jugés indésirables, ainsi qu'Helvétius, Voltaire, d'Holbach. Seuls, quelques groupes isolés de personnes cultivées réussissent à se procurer des ouvrages de Voltaire, mais l'influence de ce dernier est négligeable. Si, vers la fin du siècle, on se montre mieux disposé envers Montesquieu et Cesare Beccaria, qui fut le premier juriste à démontrer l'inefficacité de la peine de mort, on enferme la critique sociale et politique dans les limites d'une forme académique qui la rend inoffensive.

Une tradition théâtrale pesante

•

La résistance à la nouveauté s'observe aussi dans le domaine théâtral. Dans son entreprise pour rénover le théâtre italien, qui se contente de perpétuer la tradition de la *commedia dell'arte*•, Goldoni se heurte aux habitudes des comédiens et aux cabales montées par ses rivaux, le comte Carlo Gozzi – dont le frère Gaspar est en revanche un des partisans de Goldoni – et l'abbé Chiari. Une anecdote donne une idée des tourments que doit subir l'auteur• de *La Locandiera*• : un jour qu'il revient d'un séjour à Parme, où il a obtenu un diplôme et une pension, Goldoni apprend que ses ennemis ont fait courir le bruit de sa mort. Il se trouve même un moine pour affirmer avoir assisté à son enterrement. Dans ses *Mémoires,* le malheureux Goldoni semble ne pas se souvenir que c'est en 1761 qu'une pièce de Gozzi faisait rire le public à ses dépens.
En 1762, lassé par de longues et stériles batailles, il quitte Venise pour la France, où il va s'efforcer de diriger la troupe des Comédiens Italiens. Il n'est pas le seul : le départ des peintres Belloto, Tiepolo, sont d'autres indices d'une crise profonde de la création artistique à Venise.

L'amour au Théâtre-Italien. *Tableau d'A. Watteau. Berlin, Kaiser-Friedrich-Museum.*

Les plaisirs du Théâtre-Français. *Tableau d'A. Watteau. Berlin.*

La liberté dans le renoncement à l'amour

Grâce à la complicité du Vidame de Chartres, le Duc de Nemours rencontre une dernière fois la Princesse de Clèves, qui lui expose les raisons pour lesquelles elle refuse définitivement de répondre à son amour.

> *– J'avoue, répondit-elle, que les passions peuvent me conduire ; mais elles ne sauraient m'aveugler. Rien ne me peut empêcher de connaître que vous êtes né avec toutes les dispositions pour la galanterie et toutes les qualités qui sont propres à y donner des succès heureux. Vous avez déjà eu plusieurs passions, vous en auriez encore ; je ne ferais plus votre bonheur ; je vous verrais pour une autre comme vous auriez été pour moi. J'en aurais une douleur mortelle et je ne serais pas même assurée de n'avoir point le malheur de la jalousie. Je vous en ai trop dit pour vous cacher que vous me l'avez fait connaître et que je souffris de si cruelles peines le soir que la reine me donna cette lettre de Mme de Thémines, que l'on disait qui s'adressait à vous, qu'il m'en est demeuré une idée qui me fait croire que c'est le plus grand de tous les maux.*
>
> *« Par vanité ou par goût, toutes les femmes souhaitent de vous attacher. Il y en a peu à qui vous ne plaisiez ; mon expérience me ferait croire qu'il n'y en a point à qui vous ne puissiez plaire. Je vous croirais toujours amoureux et aimé et je ne me tromperais pas souvent. Dans cet état néanmoins, je n'aurais d'autre parti à prendre que celui de la souffrance ; je ne sais même si j'oserais me plaindre. On fait des reproches à un amant ; mais en fait-on à un mari, quand on n'a [qu']à lui reprocher de n'avoir plus d'amour ? Quand je pourrais m'accoutumer à cette sorte de malheur, pourrais-je m'accoutumer à celui de croire voir toujours M. de Clèves vous accuser de sa mort, me reprocher de vous avoir aimé, de vous avoir épousé et me faire sentir la différence de son attachement au vôtre ? Il est impossible, continua-t-elle, de passer par-dessus des raisons si fortes : il faut que je demeure dans l'état où je suis et dans les résolutions que j'ai prises de n'en sortir jamais.*
>
> Madame de La Fayette, *La Princesse de Clèves*, 1678.

La liberté dans le choix d'un époux

Arnolphe a décidé d'épouser une femme beaucoup plus jeune que lui, Agnès. Il vient de s'apercevoir qu'elle est amoureuse du jeune Horace.

AGNÈS

Hélas !

Est-ce que j'en puis mais ? Lui seul en est la cause
Et je n'y songeais pas lorsque se fit la chose.

ARNOLPHE

Mais il fallait chasser cet amoureux désir.

AGNÈS

Le moyen de chasser ce qui fait du plaisir ?

ARNOLPHE

Et ne saviez-vous pas que c'était me déplaire ?

AGNÈS

Moi ? point du tout. Quel mal cela vous peut-il faire ?

ARNOLPHE

Il est vrai, j'ai sujet d'en être réjoui.
Vous ne m'aimez donc pas, à ce compte ?

AGNÈS

Vous ?

ARNOLPHE

Oui.

AGNÈS

Hélas ! non.

ARNOLPHE

Comment, non !

AGNÈS

Voulez-vous que je mente ?

ARNOLPHE

Pourquoi ne m'aimer pas, Madame l'impudente ?

AGNÈS

Mon Dieu, ce n'est pas moi que vous devez blâmer.
Que ne vous êtes-vous, comme lui, fait aimer ?
Je ne vous en ai pas empêché, que je pense.

ARNOLPHE

Je me suis efforcé de toute ma puissance ;
Mais les soins que j'ai pris, je les ai perdus tous.

AGNÈS

Vraiment, il en sait donc là-dessus plus que vous ;
Car à se faire aimer il n'a point eu de peine.

Arlequin jaloux. *Gravure d'après A. Watteau.*

ARNOLPHE

Voyez comme raisonne et répond la vilaine !
Peste ! une précieuse en dirait-elle plus ?
Ah ! je l'ai mal connue ; ou, ma foi ! là-dessus
Une sotte en sait plus que le plus habile homme.
Puisqu'en raisonnement votre esprit se consomme,
La belle raisonneuse, est-ce qu'un si long temps
Je vous aurai pour lui nourrie à mes dépens ?

AGNÈS

Non. Il vous rendra tout jusques au dernier double.

ARNOLPHE

Elle a de certains mots où mon dépit redouble.
Me rendra-t-il, coquine, avec tout son pouvoir,
Les obligations que vous pouvez m'avoir ?

AGNÈS

Je ne vous en ai pas d'aussi grandes qu'on pense.

ARNOLPHE

N'est-ce rien que les soins d'élever votre enfance ?

AGNÈS

Vous avez là-dedans bien opéré vraiment,
Et m'avez fait en tout instruire joliment !
Croit-on que je me flatte, et qu'enfin, dans ma tête,
Je ne juge pas bien que je suis une bête ?
Moi-même, j'en ai honte ; et, dans l'âge où je suis,
Je ne veux plus passer pour sotte, si je puis.
Molière, *L'École des femmes*, V, 4, 1662, Classiques Hachette.

La liberté dans l'immoralisme

•

Moll Flanders, qui « *fut douze ans une catin, cinq fois une épouse (dont une fois celle de son propre frère), douze ans une voleuse* », raconte ici une de ses rencontres avec un banquier passionnément amoureux d'elle, venu lui proposer le mariage.

Il fut si transporté par mon consentement et par la tendre façon en laquelle je m'y laissai aller, que je pensai du coup qu'il le prenait pour le mariage même, et qu'il n'allait point attendre les formalités. Mais je lui faisais tort ; car il me prit par la main, me releva, et puis me donnant deux ou trois baisers, me remercia de lui avoir cédé avec tant de grâce ; et il était tellement submergé par la satisfaction, que je vis les larmes qui lui venaient aux yeux. Je me détournai, car mes yeux se remplissaient aussi de larmes, et

lui demandai la permission de me retirer un peu dans ma chambre. Si j'ai eu une once de sincère repentir pour une abominable vie de vingt-quatre années passées, ç'a été alors.
« Oh ! quel bonheur pour l'humanité, me dis-je à moi-même, qu'on ne puisse pas lire dans le cœur d'autrui ! Comme j'aurais été heureuse si j'avais été la femme d'un homme de tant d'honnêteté et de tant d'affection, depuis le commencement ! »
Puis il me vint à la pensée :
« Quelle abominable créature je suis ! Et comme cet innocent gentilhomme va être dupé par moi ! Combien peu il se doute que, venant de divorcer d'avec une catin, il va se jeter dans les bras d'une autre ! qu'il est sur le point d'en épouser une qui a couché avec deux frères et qui a eu trois enfants de son propre frère ! une qui est née à Newgate, dont la mère était une prostituée, et maintenant est une voleuse déportée ! une qui a couché avec treize hommes et qui a eu un enfant depuis qu'il m'a vue ! Pauvre gentilhomme, dis-je, que va-t-il faire ? »

Daniel Defoe, *Moll Flanders (1722)*, trad. de M. Schwob, revue et complétée par F. Ledoux, Gallimard, Folio.

La liberté dans le donjuanisme

•

La narratrice expose une théorie de la conquête que l'on pourra comparer à celle de Don Juan (Molière, *Dom Juan*, I, 2).

Vois-tu, mon enfant, si j'ai quatre amants, j'ai pour moi-même un amour de la valeur de tout celui qu'ils ont pour moi. Or il faut que tu saches que le plaisir de s'aimer si prodigieusement produit naturellement l'envie de s'aimer encore davantage, et quand un nouvel amant m'acquiert ce droit, quand je me vois les délices de ses yeux, je ne puis t'exprimer ce que je deviens aux miens. Mes conquêtes présentes et passées s'offrent à moi ; je vois que j'ai su plaire indistinctement, et je conclus, en tressaillant d'orgueil et de joie, que j'aurais autant d'amants qu'il y a d'hommes, s'il était possible d'exercer mes yeux sur eux tous. Et même alors, en tirant cette conclusion, je vois en idée les regards que savent porter mes yeux ; je les admire, j'en deviens amoureuse ; le charme m'en émeut intérieurement ; je brûle de trouver quelqu'un qui les éprouve ; et si, chemin faisant, il se présente un objet pour lui mon cœur se déclare, c'est une aventure agréable, un bénéfice dont je jouis par subrogation, qui dure autant qu'il peut, et qui n'interrompt nullement mes desseins de conquête.

Marivaux, *Lettres contenant une aventure*, 1720.

Les jaloux. *Gravure d'après le tableau de A. Watteau.*

La liberté dans le consentement calculé

•

Perdue dans Paris, la jeune Marianne est confiée à Monsieur de Climal, un vieux dévot qui cherche à abuser d'elle. Madame Dutour, chez qui Marianne est installée, lui conseille d'accepter de se faire entretenir.

Tenez, Marianne, me disait-elle, à votre place, je sais bien comment je ferais ; car, puisque vous ne possédez rien, et que vous êtes une pauvre fille qui n'avez pas seulement la consolation d'avoir des parents, je prendrais d'abord tout ce que M. de Climal me donnerait, j'en tirerais tout ce que je pourrais : je ne l'aimerais pas, moi, je m'en garderais bien ; l'honneur doit marcher le premier, et je ne suis pas femme à dire autrement, vous l'avez bien vu ; en un mot comme en mille, tournez tant qu'il vous plaira, il n'y a rien de tel que d'être sage, et je mourrai dans cet avis. Mais ce n'est pas à dire qu'il faille jeter ce qui nous vient trouver ; il y a moyen d'accommoder tout dans la vie. Par exemple, voilà vous et M. de Climal ; eh bien ! faut-il lui dire : Allez-vous-en ? Non, assurément : il vous aime, ce n'est pas votre faute, tous ces bigots n'en font point d'autres. Laissez-le aimer, et que chacun réponde pour soi. Il vous achète des nippes, prenez toujours, puisqu'elles sont payées ; s'il vous donne de l'argent, ne faites pas la sotte, et tendez la main bien honnêtement, ce n'est pas à vous à faire la glorieuse. S'il vous demande de l'amour, allons doucement ici, jouez d'adresse, et dites-lui que cela viendra ; promettre et tenir mène les gens bien loin. Premièrement, il faut du temps pour que vous l'aimiez ; et puis, quand vous ferez semblant de commencer à l'aimer, il faudra du temps pour que cela augmente ; et puis quand il croira que votre cœur est à point, n'avez-vous pas l'excuse de votre sagesse ? Est-ce qu'une fille ne doit pas se défendre ? N'a-t-elle pas mille bonnes raisons à dire aux gens ? Ne les prêche-t-elle pas sur le mal qu'il y aurait ?

Marivaux, *La Vie de Marianne*, 1731-1741.

La liberté dans la révolte

•

Au cours d'un procès, Marceline vient de découvrir que Figaro est son fils, né d'un « péché de jeunesse ».

BARTHOLO. – *Des fautes si connues ! Une jeunesse déplorable !*
MARCELINE, s'échauffant par degrés. – *Oui, déplorable, et plus qu'on ne croit ! Je n'entends pas nier mes fautes, ce jour les a trop bien prouvées ! mais qu'il est dur de les expier après trente ans*

d'une vie modeste! J'étais née, moi, pour être sage, et je le suis devenue sitôt qu'on m'a permis d'user de ma raison. Mais dans l'âge des illusions, de l'inexpérience et des besoins, où les séducteurs nous assiègent pendant que la misère nous poignarde, que peut opposer une enfant à tant d'ennemis rassemblés? Tel nous juge ici sévèrement qui, peut-être, en sa vie, a perdu dix infortunées!

FIGARO. – *Les plus coupables sont les moins généreux; c'est la règle.*

MARCELINE, vivement. – *Hommes plus qu'ingrats, qui flétrissez par le mépris les jouets de vos passions, vos victimes! c'est vous qu'il faut punir des erreurs de notre jeunesse; vous et vos magistrats, si vains du droit de nous juger, et qui nous laissent enlever, par leur coupable négligence, tout honnête moyen de subsister. Est-il un seul état pour les malheureuses filles? Elles avaient un droit naturel à toute la parure des femmes : on y laisse former mille ouvriers de l'autre sexe.*

FIGARO, en colère. – *Ils font broder jusqu'aux soldats!*

MARCELINE, exaltée. – *Dans les rangs même plus élevés, les femmes n'obtiennent de vous qu'une considération dérisoire; leurrées de respects apparents, dans une servitude réelle; traitées en mineures pour nos biens, punies en majeures pour nos fautes! Ah! sous tous les aspects, votre conduite avec nous fait horreur, ou pitié!*

FIGARO. – *Elle a raison!*

Beaumarchais, *Le Mariage de Figaro*, III, 16, 1784, Classiques Hachette.

La liberté dans le suicide

•

Roxane

Le Persan Usbek voyage en France de 1712 à 1720. Un jour, il reçoit une dernière lettre de sa favorite, Roxane, qui, restée dans le sérail d'Ispahan, lui annonce son intention de mettre fin à ses jours.

Oui, je t'ai trompé; j'ai séduit tes eunuques, je me suis jouée de ta jalousie, et j'ai su, de ton affreux sérail, faire un lieu de délices et de plaisirs.

Je vais mourir : le poison va couler dans mes veines. Car que ferais-je ici, puisque le seul homme qui me retenait à la vie n'est plus? Je meurs; mais mon ombre s'envole bien accompagnée; je viens d'envoyer devant moi ces gardiens sacrilèges qui ont répandu le plus beau sang du Monde.

Comment as-tu pensé que je fusse assez crédule pour m'imaginer que je ne fusse dans le Monde que pour adorer tes caprices? que, pendant que tu te permets tout, tu eusses le droit d'affliger tous mes désirs? Non! J'ai pu vivre dans la servitude, mais j'ai toujours été libre : j'ai réformé tes lois sur celles de la Nature, et mon esprit s'est toujours tenu dans l'indépendance.
Tu devrais me rendre grâces encore du sacrifice que je t'ai fait : de ce que je me suis abaissée jusqu'à te paraître fidèle; de ce que j'ai lâchement gardé dans mon cœur ce que j'aurais dû faire paraître à toute la Terre; enfin, de ce que j'ai profané la vertu, en souffrant qu'on appelât de ce nom ma soumission à tes fantaisies.
Tu étais étonné de ne point trouver en moi les transports de l'amour. Si tu m'avais bien connue, tu y aurais trouvé toute la violence de la haine.
Mais tu as eu longtemps l'avantage de croire qu'un cœur comme le mien t'était soumis. Nous étions tous deux heureux : tu me croyais trompée, et je te trompais.
Ce langage, sans doute, te paraît nouveau. Serait-il possible qu'après t'avoir accablé de douleurs, je te forçasse encore d'admirer mon courage? Mais c'en est fait : le poison me consume; ma force m'abandonne; la plume me tombe des mains; je sens affaiblir jusqu'à ma haine; je me meurs.

Du sérail d'Ispahan, le 8 de la lune de Rebiab I, 1720.

Montesquieu, *Lettres persanes*, CLXI, 1721.

Clarisse Harlowe

Droguée et violée par un séducteur perverti, Clarisse Harlowe cherche dans le suicide le salut de son âme. Elle écrit à une de ses amies pour lui faire ses adieux.

[...]
« Quant à moi, jamais fiancée ne fut si prête que je le suis. Ma robe de mariée est achetée, et, bien que ni sa beauté ni son éclat ne frappent la vue, bien qu'elle ne soit ni ornée de joyaux ni tissée d'or et d'argent (car je ne souhaite éblouir les yeux d'aucun spectateur), elle constituera pourtant la tenue la plus simple et la plus heureuse que porta jamais une promise, car elle est telle qu'elle protège contre toutes ces anxiétés, ces douleurs et ces troubles qui suivent parfois les débuts les plus prometteurs.
[...]
Ô Dieu miséricordieux, si telle est ta Sainte volonté, hâte le moment béni où je serai sur le point de revêtir cette parure qui apaise tous les maux! Et que ta grâce couvre de son aile protectrice mes chers parents, mes oncles, mon frère, ma sœur, mon cousin Morden, ma très chère et très généreuse Miss Howe, ma

bonne Miss Norton, et toutes les personnes méritantes à qui ils souhaitent du bien, pour leur apporter soutien, réconfort, bénédiction et sauvegarde ! Telle est la prière ardente, la première et la dernière, celle de chaque heure qui commence, comme me le dit l'horloge (les heures maintenant sont des jours, et non des années), adressée par

Votre, désormais, non pas triste ni affligée, mais heureuse

Clarisse Harlowe.

Richardson, *The History of Clarisse Harlowe*, Everyman's Library, vol. IV, p. 303. Traduction inédite de M. Morisset.

L'Heptaméron, 1545

•

Pour se venger de l'infidélité de son époux, la reine de Naples accepte de répondre aux avances d'un gentilhomme dont la femme est la maîtresse du roi.

Et en regardant le gentil homme, qui estoit trop plus amyable que son mary, voyant qu'il estoit delaissé de sa femme comme elle du Roy, pressée du despit et jalousie de son mary, et incitée de l'amour du gentil homme, commença à dire, la larme à l'œil, en souspirant : « Ô mon Dieu ! fault-il que la vengeance gaigne sur moy ce que nul amour n'a sceu faire ! » Le gentil homme, bien entendant ce propos, luy respondit : « Ma dame, la vengeance est doulce qui, en lieu de tuer l'ennemy, donne vie à ung parfaict amy. Il me semble qu'il est tems que la verité vous oste la sotte amour que vous portez à celluy qui ne vous aime poinct ; et l'amour juste et raisonnable chasse hors de vous la craincte, qui jamais ne peult demorer en ung cueur grand et vertueux. Or sus, ma dame, mectons à part la grandeur de vostre estat, et regardons que nous sommes l'homme et la femme de ce monde les plus trompez, trahis et mocquez de ceulx que nous avons plus parfaictement aimez. Revenchons nous, ma dame, non tant pour leur rendre ce qu'ilz meritent, que pour satisfere à l'amour qui, de mon costé, ne se peut plus porter sans morir. Et je pense que, si vous n'avez le cueur plus dur que nul chaillou ou dyamant, il est impossible que vous ne sentiez quelque estincelle du feu qui croist tant plus que je le veulx dissimuler. Et si la pitié de moy, qui meurs pour l'amour de vous, ne vous incite à m'aimer, au moins celle de vous mesme vous y doibt contraindre, qui, estant si parfaicte que vous meritez avoir les cueurs de tous les honnestes hommes du monde, estes desprisée et delaissée de celuy pour qui vous avez dedaigné tous les aultres. »

Marguerite de Navarre, *L'Heptaméron*, 3e nouvelle, Garnier, p. 25.

La Princesse d'Élide, 1664

•

La Princesse d'Élide repousse dédaigneusement de nombreux soupirants. Seul, Euryale réussit à vaincre sa froideur, à l'occasion des jeux où vont s'affronter les rivaux.

THÉOCLE : *Tout le monde va faire des efforts pour emporter le prix de cette course. Mais, à vous dire vrai, j'ai peu d'ardeur pour la victoire, puisque ce n'est pas votre cœur qu'on y doit disputer.*
ARISTOMÈNE : *Pour moi, Madame, vous êtes le seul prix que je me propose partout ; c'est vous que je crois disputer dans ces combats*

d'adresse, et je n'aspire maintenant à remporter l'honneur de cette course que pour obtenir un degré de gloire qui m'approche de votre cœur.
EURYALE : *Pour moi, Madame, je n'y vais point du tout avec cette pensée. Comme j'ai fait toute ma vie profession de ne rien aimer, tous les soins que je prends ne vont point où tendent les autres. Je n'ai aucune prétention sur votre cœur, et le seul honneur de la course est tout l'avantage où j'aspire.*

Ils la quittent.

LA PRINCESSE : *D'où sort cette fierté où l'on ne s'attendait point? Princesses, que dites-vous de ce jeune prince? Avez-vous remarqué de quel ton• il l'a pris?*
AGLANTE : *Il est vrai que cela est un peu fier.*
MORON : *Ah! quelle brave botte il vient là de lui porter!*
LA PRINCESSE : *Ne trouvez-vous pas qu'il y aurait plaisir d'abaisser son orgueil, et de soumettre un peu ce cœur qui tranche tant du brave?*
CYNTHIE : *Comme vous êtes accoutumée à ne jamais recevoir que des hommages et des adorations de tout le monde, un compliment pareil au sien doit vous surprendre, à la vérité.*
LA PRINCESSE : *Je vous avoue que cela m'a donné de l'émotion, et que je souhaiterais fort de trouver les moyens de châtier cette hauteur. Je n'avais pas beaucoup d'envie de me trouver à cette course; mais j'y veux aller exprès, et employer toute chose pour lui donner de l'amour.*
CYNTHIE : *Prenez garde, Madame : l'entreprise est périlleuse, et lorsqu'on veut donner de l'amour, on court risque d'en recevoir.*
LA PRINCESSE : *Ah! n'appréhendez rien, je vous prie. Allons, je vous réponds de moi.*

Molière, La Princesse d'Élide, *II, 4.*

Dom Juan, 1665

•

Don Juan expose sa théorie de la séduction à son valet Sganarelle.

DON JUAN. – *Quoi? tu veux qu'on se lie à demeurer au premier objet qui nous prend, qu'on renonce au monde pour lui, et qu'on n'ait plus d'yeux pour personne? La belle chose de vouloir se piquer d'un faux honneur d'être fidèle, de s'ensevelir pour toujours dans une passion, et d'être mort dès sa jeunesse à toutes les autres beautés qui nous peuvent frapper les yeux! Non, non : la constance n'est bonne que pour des ridicules; toutes les belles ont droit de nous charmer, et l'avantage d'être rencontrée la première ne doit point dérober aux autres les justes prétentions qu'elles ont toutes sur nos cœurs. Pour moi, la beauté me ravit partout où je la trouve, et je cède facilement à cette douce violence dont elle nous entraîne. J'ai beau être engagé, l'amour que j'ai pour une belle n'engage point mon âme à faire injustice aux autres ; je conserve des yeux pour voir le mérite de toutes, et rends à chacune les hommages et les tributs où la nature nous oblige. Quoi qu'il en soit, je ne puis refuser mon cœur à tout ce que je vois d'aimable ; et dès qu'un beau visage me le demande, si j'en avais dix mille, je les donnerais tous. Les inclinations naissantes, après tout, ont des charmes inexplicables, et tout le plaisir de l'amour est dans le changement. On goûte une douceur extrême à réduire, par cent hommages, le cœur d'une jeune beauté, à voir de jour en jour les petits progrès qu'on y fait, à combattre par des transports, par des larmes et des soupirs, l'innocente pudeur d'une âme qui a peine à rendre les armes, à forcer pied à pied toutes les petites résistances qu'elle nous oppose, à vaincre les scrupules dont elle se fait un honneur et la mener doucement où nous avons envie de la faire venir. Mais lorsqu'on en est maître une fois, il n'y a plus rien à dire ni rien à souhaiter ; tout le beau de la passion est fini, et nous nous endormons dans la tranquillité d'un tel amour, si quelque objet nouveau ne vient réveiller nos désirs, et présenter à notre cœur les charmes attrayants d'une conquête à faire. Enfin, il n'est rien de si doux que de triompher de la résistance d'une belle personne, et j'ai sur ce sujet l'ambition des conquérants, qui volent perpétuellement de victoire en victoire, et ne peuvent se résoudre à borner leurs souhaits. Il n'est rien qui puisse arrêter l'impétuosité de mes désirs : je me sens un cœur à aimer toute la terre ; et comme Alexandre, je souhaiterais qu'il y eût d'autres mondes, pour y pouvoir étendre mes conquêtes amoureuses.*

Molière, *Dom Juan*, I, 2, Classiques Hachette.

Les Égarements du cœur et de l'esprit, 1736-38

•

La marquise de Lursay, âgée d'environ quarante ans, entreprend l'éducation sentimentale du narrateur au moment où, à dix-sept ans, il entre dans le monde.

Elle crut qu'il lui était important pour m'acquérir, et même me fixer, de me dissimuler le plus longtemps qu'il lui serait possible son amour pour moi ; que, plus j'étais accoutumé à la respecter, plus je serais frappé d'une démarche précipitée de sa part. Elle savait d'ailleurs qu'avec quelque ardeur que les hommes poursuivent la victoire, ils aiment toujours à l'acheter, et que les femmes qui croient ne pouvoir se rendre assez promptement se repentent souvent de s'être trop tôt laissé vaincre.

[...] *Cette dame si délicate, contente cependant de la façon dont je pensais sur son compte, jugea qu'il était temps de me donner de l'espérance, et de me faire penser, mais par les agaceries les plus décentes, que j'étais le mortel fortuné que son cœur avait choisi. Des propos obligeants, que jusqu'alors elle m'avait tenus, elle passa à des discours plus particuliers et plus marqués. Elle me regardait tendrement et m'exhortait, lorsque nous étions seuls, à me contraindre moins avec elle. Par cette conduite, elle avait réussi à me donner beaucoup d'amour et en avait tant pris elle-même, qu'alors sans doute elle aurait voulu m'avoir inspiré moins de respect.*

Sa situation était devenue par ses soins aussi embarrassante que la mienne. Il s'agissait de me mettre au-dessus de la défiance qu'elle m'avait donnée de moi-même, et de la trop bonne opinion qu'elle m'avait fait prendre d'elle ; deux choses extrêmement difficiles, et qu'il fallait ménager avec toute la finesse possible. Elle ne voyait point d'apparence que j'osasse lui déclarer que je l'aimais ; et loin qu'elle dût prendre sur elle de se découvrir, elle était forcée de paraître recevoir avec sévérité l'aveu que je lui ferais, si encore elle était assez heureuse pour m'amener jusque-là.

Crébillon fils, *Les Égarements du cœur et de l'esprit*, Seuil, pp. 24-25.

Les Liaisons dangereuses, 1782

•

La marquise de Merteuil donne au vicomte de Valmont les conseils qu'il convient de suivre afin de séduire une femme vertueuse.

De plus, une remarque que je m'étonne que vous n'ayez pas faite, c'est qu'il n'y a rien de si difficile en amour que d'écrire ce qu'on ne sent pas. Je dis écrire d'une façon vraisemblable : ce n'est pas qu'on ne se serve des mêmes mots ; mais on ne les arrange pas de même, ou plutôt on les arrange, et cela suffit. Relisez votre Lettre : il y règne un ordre qui vous décèle à chaque phrase. Je veux croire que votre Présidente est assez peu formée pour ne s'en pas apercevoir : mais qu'importe ? l'effet n'en est pas moins manqué. C'est le défaut des Romans ; l'Auteur• se bat les flancs pour s'échauffer, et le Lecteur reste froid. Héloïse *est le seul qu'on en puisse excepter ; et malgré le talent de l'Auteur•, cette observation m'a toujours fait croire que le fond en était vrai. Il n'en est pas de même en parlant. L'habitude de travailler son organe y donne de la sensibilité ; la facilité des larmes y ajoute encore : l'expression du désir se confond dans les yeux avec celle de la tendresse ; enfin le discours moins suivi amène plus aisément cet air de trouble et de désordre, qui est la véritable éloquence de l'amour ; et surtout la présence de l'objet aimé empêche la réflexion et nous fait désirer d'être vaincues.*

Croyez-moi, Vicomte : on vous demande de ne plus écrire : profitez-en pour réparer votre faute et attendez l'occasion de parler. Savez-vous que cette femme a plus de force que je ne croyais? Sa défense est bonne; et sans la longueur de sa Lettre, et le prétexte qu'elle vous donne pour rentrer en matière dans sa phrase de reconnaissance, elle ne se serait pas du tout trahie.

Laclos, *Les Liaisons dangereuses*, XXXIII, 1782.

Madame Bovary, 1857

•

Mariée au docteur Bovary, Emma s'ennuie. Elle assiste à la fête des comices agricoles en compagnie d'un bellâtre, Rodolphe Boulanger, dont le discours amoureux se mêle au discours politique du représentant du pouvoir, le Conseiller Lieuvain.

« Du reste, ajouta Rodolphe, peut-être, au point de vue du monde, a-t-on raison?
– Comment cela? fit-elle.
– Eh quoi, dit-il, ne savez-vous pas qu'il y a des âmes sans cesse tourmentées? Il leur faut tour à tour le rêve et l'action, les passions les plus pures, les jouissances les plus furieuses, et l'on se jette ainsi dans toutes sortes de fantaisies, de folies. »
Alors elle le regarda comme on contemple un voyageur qui a passé par des pays extraordinaires, et elle reprit :
« Nous n'avons pas même cette distraction, nous autres pauvres femmes!
– Triste distraction, car on n'y trouve pas le bonheur.
– Mais le trouve-t-on jamais? demanda-t-elle.
– Oui, il se rencontre un jour », répondit-il.

« Et c'est là ce que vous avez compris, disait le conseiller. Vous, agriculteurs et ouvriers des campagnes; vous, pionniers pacifiques d'une œuvre toute de civilisation! vous, hommes de progrès et de moralité! vous avez compris, dis-je, que les orages politiques sont encore plus redoutables vraiment que les désordres de l'atmosphère... »

« Il se rencontre un jour, répéta Rodolphe, un jour, tout à coup et quand on en désespérait. Alors des horizons s'entrouvrent, c'est comme une voix qui crie : « Le voilà! » Vous sentez le besoin de faire à cette personne la confidence de votre vie, de lui donner tout, de lui sacrifier tout! On ne s'explique pas, on se devine. On s'est entrevu dans ses rêves. (Et il la regardait.) Enfin, il est là, ce trésor que l'on a tant cherché, là, devant vous; il brille, il étincelle. Cependant on en doute encore, on n'ose y croire; on en reste ébloui, comme si l'on sortait des ténèbres à la lumière. »

Flaubert, *Madame Bovary*, II, 8.

Amour

•

Dans la pièce

Le sentiment amoureux existe-t-il dans la pièce ? Sans doute chez Fabrice, mais il est mêlé à un calcul d'intérêt ; chez le Chevalier, mais il ne résiste pas à l'humiliation ; quant à Mirandoline, elle épousera Fabrice par raison et non par amour. Dans la haute aristocratie, l'amour se réduit à un code social en forme de galanterie : le Comte et le Marquis font leur cour à Mirandoline, l'un en la couvrant de cadeaux, l'autre en l'assurant de sa *« protection »*. Leur patience semble n'avoir pas de limites, mais ils se résigneront si vite à leur échec que l'on peut douter de la qualité de leur attachement.

Rapprochements

Le thème de l'amour est inépuisable. On trouvera dans *Le Misanthrope* de Molière une peinture de l'amour vécu comme une activité mondaine. Dans la même pièce, le personnage d'Alceste peut, par certains traits de caractère et dans son rapport aux femmes, être comparé au Chevalier. En simplifiant à l'extrême, on peut dire qu'au XVIIe siècle, la comédie• classique se régale des problèmes de cocuage, sans méconnaître l'amour vrai qui peut naître entre deux jeunes gens, et que la tyrannie d'un père rend impossible (voir de Molière, par exemple, *L'Avare* et *Le Malade imaginaire*). La comédie• baroque insiste plutôt sur l'inconstance dans l'amour et sur l'impossibilité de saisir une vérité fuyante et diverse (Shakespeare, *Le Songe d'une nuit d'été ;* Corneille, *Le Menteur*). La tragédie en dévoile les difficultés et la noblesse (Corneille : *Le Cid, Horace*) mais aussi les effets destructeurs (Racine : *Phèdre, Andromaque*).

Argent

•

Dans la pièce

C'est l'objet d'une préoccupation constante pour de nombreux personnages. Le Marquis est ruiné (I, 13), tandis que le Comte étale complaisamment ses richesses : c'est l'image en raccourci de l'opposition entre la vieille noblesse qui ne possède plus guère que ses titres et la noblesse de fraîche date. Mirandoline se flatte de tenir une auberge où « il n'y a jamais de chambre inoccupée » (I, 6) ; mais il est vrai que si elle apprécie l'argent, elle n'en est pas dépendante (I, 9). Comme tout serviteur, Fabrice est intéressé (II, 19) et c'est lui qui, avec le Comte, dégage la portée de l'argent dans la société de l'époque (I, 2, 3). Quant aux comédiens, leur situation financière est extrêmement précaire, comme en témoignent de nombreuses répliques de Déjanire et Hortense (I, 18 ; II, 11, etc.).

Rapprochements

On peut penser à de nombreuses pièces de Molière : *L'Avare*, bien entendu, mais aussi *L'Étourdi, Le Dépit amoureux, L'École des maris, L'École des femmes, Le Misanthrope, Dom Juan, Le Malade imaginaire.* Au XVIIIe siècle, l'essor de la bourgeoisie suscite un débat sur la question des richesses : légitimes pour le Voltaire du *Mondain,* immorales pour Rousseau, elles créent chez les démunis une forme de parasitisme social qu'illustre par exemple *Le Neveu de Rameau* de Diderot. Au XIXe siècle, les romans de Dickens, Balzac, Zola, Dostoïevski, font une place considérable à ce problème.

Comédiens et théâtre

•

Dans la pièce

On ne peut guère parler ici de « théâtre dans le théâtre », mais on note évidemment la présence de comédiennes dans la pièce (I, 17). Leur apparition pose le problème de l'unité d'action : ces deux rôles n'ont-ils pas été créés tout exprès pour des actrices de la troupe avec laquelle travaillait Goldoni ? Leurs interventions sont toutefois placées sous le signe du théâtre : leur langage est émaillé de répliques de comédies• (I, 21), mais surtout, elles fournissent à Mirandoline l'occasion d'organiser dans l'auberge une véritable petite comédie• improvisée où l'aubergiste montre un talent qui fait l'admiration des professionnelles (I, 22) : c'est une sorte de répétition avant la conquête du Chevalier (I, 23). Le rapport entre l'action principale et cette action secondaire reçoit ainsi un nouvel éclairage.

Rapprochements

Le thème du « théâtre dans le théâtre » est le cadre que la comédie• baroque offre aux jeux de l'apparence et de la réalité : on pense à *Hamlet* de Shakespeare, *La vie est un songe* de Calderon, *l'Illusion comique* de Corneille, *Le Véritable Saint Genès* de Rotrou, l'*Impromptu de Versailles* de Molière et, plus proche de nous : *Six personnages en quête d'auteur* et *Ce soir on improvise,* de Pirandello.

Flatterie

•

Dans la pièce
C'est l'un des procédés dont use Mirandoline pour venir à bout de la résistance du Chevalier (I, 15). C'est aussi l'arme des faibles, des petites gens qui cherchent à tirer profit d'une rencontre : chez Fabrice, elle est comme une sorte de seconde nature (I, 17) ; il la pousse à la caricature lorsqu'il sait qu'il ne peut rien en attendre, et il se venge ainsi des puissants déchus (I, 2). On observera que la flatterie porte très souvent sur les titres de noblesse et la vanité qui s'y attache. Mais Mirandoline avoue y être elle-même sensible (I, 9).

Rapprochements
Ils sont innombrables. Voir Marot *(Épîtres)* ; Du Bellay *(Regrets)* ; Mathurin Régnier *(Satire III)* ; La Fontaine (*Fables,* par exemple *Le Corbeau et le Renard, Les Obsèques de la lionne, Les Animaux malades de la peste,* etc.) ; La Bruyère (*Caractères,* par exemple *Voyage au pays de la Cour*), Molière *(Le Misanthrope, Dom Juan).*

Mariage

•

Dans la pièce
Évidemment abhorré par le Chevalier (I, 4, 11), qui s'étonne que le Marquis puisse envisager d'épouser une roturière (I, 8, 12). On apprend très tôt que Mirandoline pourrait se marier (I, 1). Elle insiste sur son indépendance matérielle (I, 6), et si elle accepte d'épouser Fabrice c'est sans doute parce que son père, avant de mourir, lui a fait mesurer les difficultés qu'elle pourrait rencontrer à diriger seule une auberge. La raison l'y pousse plus que le cœur.

Rapprochements
Molière : *Les Précieuses ridicules, Les Femmes savantes* ; Beaumarchais : *Le Mariage de Figaro* ; Rousseau : *La Nouvelle Héloïse* ; Flaubert : *Madame Bovary.*

Objets et rites quotidiens

•

Dans la pièce
Le réalisme domestique tient essentiellement à la place qu'occupent dans la pièce le linge (I, 5, 10, 15) ; les repas avec potage, ragoût, sauces, œufs, vins, chapons, pigeons, liqueurs

(II, 1, 2, 3, 4, 5, 6, 7). Le chocolat est apprécié par le Chevalier (I, 11) autant que par le Marquis (I, 13). On n'oubliera pas les cadeaux qui circulent dans la pièce : boucles d'oreilles et collier offerts par le Comte à Mirandoline, mouchoir offert à la même par le Marquis (I, 5, 21, 22). Dans le jeu de la séduction les cadeaux sont un ingrédient nécessaire qui marque la répartition traditionnelle des rôles entre l'homme, qui donne, et la femme, qui reçoit. Le destin du flacon d'eau de mélisse est intéressant : offert par le Chevalier à Mirandoline, qui le refuse, il finit par échouer entre les mains du Marquis, qui l'offre à Déjanire. Double symbole : de l'évolution du Chevalier, transformé malgré lui en chevalier servant, et de l'amour, dont le gage échoit entre les mains d'une professionnelle de la comédie•.

Rapprochements
La scène du XVIIIe siècle est envahie par l'univers quotidien de la bourgeoisie : voir les drames• bourgeois et les comédies• sentimentales ou larmoyantes de Beaumarchais *(Eugénie, La Mère coupable)*, Diderot *(Le Fils naturel, Le Père de famille)*, Sedaine *(Le Philosophe sans le savoir)* ; mais aussi les romans de Sterne *(Voyage sentimental)*, Goethe *(Les Souffrances du jeune Werther)*, Foscolo *(Dernières Lettres de Jacopo Ortis)*, Rousseau *(La Nouvelle Héloïse)*, Richardson *(Paméla, Clarisse Harlowe)*.

Dame prenant son thé. *Gravure de Filleul d'après Chardin. BN.*

LEXIQUE DES TERMES DE THÉÂTRE

aparté : réplique adressée par un personnage aux spectateurs.

burlesque : à l'origine, le genre burlesque est une parodie de l'épopée. D'une manière générale, le mot désigne toute forme de comique* qui repose sur le contraste entre un sujet noble et la manière triviale de le traiter.

comédie : pièce de théâtre qui met en scène des gens ordinaires, souvent des bourgeois, et qui a pour but de divertir en dénonçant les travers d'une société ou d'un individu. Au XVIIIe siècle, la comédie* se transforme en un genre sérieux et moralisateur, voire larmoyant. Goldoni a maintenu la tradition du comique*.

comique : le mot désignait autrefois ce qui appartenait au domaine du théâtre. Il désigne aujourd'hui ce qui excite le rire (gestes, mots, situations, caractères, mœurs), souvent par un effet de contraste ou de répétition.

dénouement : c'est le moment de la pièce où la difficulté principale est résolue, soit de manière heureuse (comédie*), soit de manière funeste (tragédie).

didascalie : dans un texte de théâtre, tout ce qui n'est pas parole de personnage : indication sur les répliques, les jeux de scène, le décor, etc. Un nombre élevé de didascalies dans une pièce signifie que l'auteur* s'intéresse à la mise en scène.

drame : genre qui apparaît au XVIIIe siècle, intermédiaire entre la comédie*, à laquelle il emprunte son réalisme, et la tragédie à laquelle il ressemble par le sérieux du ton* et la gravité des événements.

exposition : c'est le moment de la pièce (toujours le début) où l'on fait connaître au spectateur les circonstances de l'action et les personnages, ce qui donne parfois au dialogue un caractère artificiel.

intrigue : enchaînement – et non simple succession – des événements dans une pièce de théâtre.

monologue : discours tenu par un personnage seul (ou se croyant seul) en scène.

nœud : moment où la rencontre et l'enchaînement des événements créent une tension telle que l'on attend une solution : le dénouement*.

péripétie : événement inattendu mais sans conséquence sur l'action principale (par opposition au coup de théâtre).

stichomythie : procédé qui consiste à enchaîner rapidement des répliques brèves.

tirade : réplique particulièrement longue.

ton : manière de dire ou d'écrire qui traduit et cherche à faire partager un certain état affectif (ton sérieux, comique*, lyrique, tragique, etc.).

type : au théâtre, personnage qui réunit en lui les traits de caractère communs à plusieurs individus, de telle sorte que ces traits se fondent en un trait dominant ou unique, et que le personnage devient représentatif d'une classe (l'avare, le fourbe, le naïf, etc.). Les personnages de la *commedia dell'arte** sont des types.

LEXIQUE DU THÉÂTRE DE GOLDONI

académie : société de gens de lettres. Les académies étaient nombreuses à Venise. L'académie des Granalleschi a provoqué et entretenu la polémique contre Goldoni.

auteur : à l'époque de Goldoni, l'auteur n'avait ni l'autorité ni l'importance qu'on lui accorde aujourd'hui. Goldoni était lié par contrat à un tout-puissant directeur de théâtre pour qui il s'engageait à écrire un certain nombre de pièces. Il n'a pas toujours eu la maîtrise des éditions de ses œuvres.

baron (*barone* en italien) : le mot désigne un titre de noblesse, mais aussi, en italien, un coquin.

bergamasque : danse originaire de Bergame en Italie et à la mode au XVIIIe siècle.

bouffon : au théâtre, personnage chargé de faire rire par des procédés peu raffinés.

carnaval (italien *carnevale* : mardi-gras) : période réservée aux divertissements populaires, de l'Épiphanie au mercredi des Cendres. Le plus célèbre est le carnaval de Venise.

Comédiens Italiens : les premières troupes italiennes arrivent en France en 1570 et connaissent un succès grandissant, grâce à la *commedia dell'arte*•. Chassés en 1697 pour avoir choqué Madame de Maintenon, ils reviennent en 1716, fusionnent en 1762 avec l'opéra-comique•, et sont définitivement renvoyés en 1779. Le plus célèbre d'entre eux est Scaramouche. Leur influence s'est exercée sur Molière, Marivaux, Beaumarchais.

commedia dell'arte : forme de théâtre improvisé, appelée aussi «*commedia all'improviso*» (à l'impromptu), «*commedia a soggetto*» (à canevas), ou «*commedia popolare*». Elle s'oppose au théâtre littéraire écrit («*commedia sostenuta*»). Née au XVIe siècle, elle exerce une profonde influence en France jusqu'au XVIIIe siècle.

locandiera : «Ce mot vient de *locanda,* qui signifie, en italien, la même chose qu'«hôtel garni» en français. Il n'y a pas de mot propre, dans la langue française, pour désigner l'homme ou la femme qui tiennent un hôtel garni. Si on voulait traduire cette pièce en français il faudrait chercher le titre dans le caractère, et ce serait, sans doute, *La Femme adroite.*» (Goldoni, *Mémoires,* p. 243).

masques : comme les acteurs du théâtre antique, les acteurs de la *commedia dell'arte*• portaient des masques désignant des personnages à caractère figé : Arlequin, Pantalon, le Docteur Bolonais, Polichinelle, Colombine, etc. Expression satirique de types• sociaux, ils ont caractérisé le théâtre populaire, qui a fait d'eux des marionnettes comiques• et ridicules.

misogyne : le mot désigne un

homme qui hait ou méprise les femmes.

opéra : pièce de théâtre chantée, avec accompagnement d'orchestre. On parle d'opéra-ballet si la danse y occupe une place importante, d'opéra-bouffe si le sujet est comique•. L'opéra-comique est une pièce où alternent chants et dialogues parlés. En 1752, la représentation par les comédiens italiens de *La Servante maîtresse* de Pergolèse provoque la querelle des Bouffons•. L'opéra-comique a connu un succès considérable au XVIIIe siècle.

patricien : au XVIIIe siècle, le mot désigne un aristocrate. À Venise certains possédaient des théâtres, comme Francesco Vendramini, propriétaire du théâtre San Luca, pour lequel Goldoni travaille à partir de 1754.

querelle des Bouffons : de 1752 à 1754 s'opposent les partisans de la musique française, représentée essentiellement par Lully et Rameau, et de la musique italienne, représentée par Duni et Pergolèse. Diderot y fait écho dans *Le Neveu de Rameau*.

Venise au XVIIIe siècle : la Piazzetta. *Peinture.*

Pour bien connaître Goldoni et son théâtre

•

– *Mémoires de M. Goldoni, pour servir à l'histoire de sa vie et à celle de son théâtre,* Mercure de France*, Le temps retrouvé, ou mieux, éd. Ortolani, Milano, Mondadori.

* Cette édition est notre édition de référence pour les textes cités dans l'après-texte, avec le numéro de page correspondant.

Ouvrages critiques

•

– N. Mangani, *Goldoni,* trad. C. Lieutenant, Paris, Seghers, 1969.
– G. Luciani, *Carlo Goldoni ou l'honnête aventurier,* PUG, 1992.

Préfaces ou introductions

•

– *La Belle Hôtesse, Les Rustres, La Nouvelle Maison,* introduction et notes A. Monjo, Paris, éd. sociales, 1957.
– *La Locandiera,* préface de G. Luciani, Gallimard, 1991.

Ouvrages généraux

•

– N. Jonard, *La Vie quotidienne à Venise au XVIIIe siècle,* Hachette, 1965.

Crédits photographiques
p. 4 : Roger-Viollet, © ND-Viollet / p. 8 : photo Hachette; gravure d'Antonio Baratti d'après un dessin de Pietro Antonio Novelli III. Paris, bib. de l'Arsenal, fonds Rondel. / p. 15 : Roger-Viollet, © coll. Viollet / p. 25 : photo Hachette / p. 42 : Roger-Viollet, © Lipnitzki-Viollet / p. 50 : Roger-Viollet, © coll. Viollet / p. 60 : Roger-Viollet, © Lipnitzki-Viollet / p. 66 : Roger-Viollet, © Lipnitzki-Viollet; représentation de juin 1956 au théâtre des Nations avec Romolo Valli, assis au centre / p. 76 : Roger-Viollet, © Lipnitzki-Viollet / p. 78 : photo Hachette / p. 79 : photo Hachette; gravure de Daniotto / p. 87 : Roger-Viollet, © Lipnitzki-Viollet / p. 94 : Roger-Viollet, © Lipnitzki-Viollet; représentation de mars 1964 au TEP. / p. 125 : Roger-Viollet, © Lipnitzki-Viollet / p. 131 : Roger-Viollet, © Lipnitzki-Viollet / p. 150 : photo Hachette / p. 159 : photo Hachette / p. 160 : Gabinetto Fotografico / p. 161 : Giraudon / p. 162 : Roger-Viollet, coll. Viollet / p. 163 : Roger-Viollet, coll. Viollet / p. 168 : Roger-Viollet / p. 169 : Roger-Viollet, coll. Viollet / p. 174, 175, 177 : photo Hachette / p. 183 : Roger-Viollet, photo Anderson-Viollet / p. 188 : Roger-Viollet, © ND-Viollet / p. 191 : Roger-Viollet, photo LM-Viollet / p. 193 : Roger-Viollet, © ND-Viollet / p. 196 : photo Hachette / p. 197, 200, 203 : Roger-Viollet, coll. Viollet / p. 217 : Roger-Viollet, coll. ND-Viollet / p. 221 : Roger-Viollet, coll. Viollet.

Imprimé en France — IMPRIMERIE HÉRISSEY, Évreux (Eure) - N° 61197
Dépôt légal : N° 2656-04/93 — Collection N° 10 — Édition N° 01

16/6341/8